회계를 기업의 언어라고 부르고 있습니다. 기업은 회계를 통해 정보이용자들에게 정보를 주고 있는거죠. 기업의 모든 활동에 대해 일일이 문자로 전달한다는 건 굉장한 피로가 있을 뿐 아니라 실적에 대한 명확한 이해 역시 어렵기 때문이에요.

그럼 재무제표를 읽을 수 있다고 무조건 수익을 낼 수 있느냐? 의 물음에는 글쎄요.. 그렇지만 확신할 수 있는 것은 그렇게 고른 기업들을 통해 '적어도 잃지는 않는' 투자를 할 수 있다는 점입니다.

먼저 이 책은 벤저민 그레이엄의 역작『현명한투자자』, 워렌버핏의 역대 주주서한, 그리고 저의 짧은 회계 지식과 더불어 지금까지 분석해온 기업들의 10개년 재무제표 분석 자료를 바탕으로 작성해 보았습니다.

벤저민 그레이엄의 현명한투자자가 시장 전체에 대한 통찰과 더불어 기업내부를 해석했다면, 저는 기업 내부를 세세하게 볼 수 있는 능력을 가질 수 있게끔 노력했습니다. 사실 그 이면에는 워렌버핏의 주주서한이 상당한 도움이 되었어요. 회계를 알더라도 그 회계의 진정한 의미를 이해하는 데에는 군데군데 산재되어 있지만 핵심을 짚어주는 워렌버핏의 한마디 한마디들이(주주서한) 큰 도움이 됐거든요.

모든 분석 항목을 대상으로 최대한 쉬운 말과 설명, 그리고 실전 예시와 분석 사례를 넣었습니다. 머릿속에서 회계라는 도구와 실제 경제사회, 투자라는 행위가 연결되게끔 말이에요.

이 책을 읽는 많은 분들이 잃지 않는 투자를 하셨으면 좋겠습니다. 그리고 필히 이 책을 다 읽으시고 저의 블로그를 통해 실제 재무제표가 분석되는 방법, 사례들을 꼭 살펴보셨으면 좋겠습니다.

블로그 주소: https://blog.naver.com/jiniand1004 (기억공간, 재무제표 10개년 분석)

목 차

재무제표 보는 사이트, 검색하는 방법

한국과 미국 시장

 재무제표는 재무상태표(옛 대차대조표), 손익계산서, 자본변동표, 현금흐름표 및 주석을 의미합니다. 이 세부적인 항목은 지금 단계에서 복잡하게 논의할 필요는 없고 앞으로의 내용에서 차차 알아갈 예정이니 부담가질 필요는 없답니다.

 이 재무제표를 공시하는 사이트들은 이 5가지 종류를 구분하지 않고 "사업보고서(미국은 Annual Report), 반기보고서, 분기보고서(미국은 Quarterly report)"라는 항목에 몽땅 집어 넣어 한꺼번에 공시하고 있어요.

 국내기업은 Dart 전자공시에서, 미국 나스닥, 뉴욕증권거래소 상장기업은 SEC.gov에서 공시하고 있습니다.

링크 - 국내기업 Dart 전자공시 : 전자공시시스템 (fss.or.kr)

링크 - 미국기업 SEC 전자공시 : SEC.gov | HOME

국내기업을 기준으로 설명드리자면,

먼저 검색사이트에서 "dart 전자공시" 입력

↓

"검색조건"에 회사명을 쓰고, "정기공시란에 체크", "사업보고서"에 체크(반기, 분기별로 보고 싶으면
보고 싶은 것에) 이후 검색 클릭.

↓

회사명은 해당 단어가 포함된 모든 회사가 나오므로 그 중에서 본인이 찾고 싶은 회사를 체크합니다

회사명찾기

	회사명	대표자	종목코드	업종명
☐	농업회사법인오리온농협	박민규		빵류, 과자류, 당류, 초콜릿 ...
☐	동양오리온유통화전문	홍성철		그 외 기타 분류 안된 금융업
☐	동양오리온제이차유통화전...	김구환		그 외 기타 분류 안된 금융업
☐	동양오리온투자증권(구:동양...	장선명		금융시장 관리업
☑	오리온	이승준	271560	과자류 및 코코아 제품 제조...
☐	오리온	위샤오		전자부품, 컴퓨터, 영상, 음...
☐	오리온금속	이은섭		기타 전자부품 제조업
☐	오리온레포츠	심용섭		스포츠 클럽 운영업
☐	오리온벨리	황용철		주거용 건물 개발 및 공급업
☐	오리온서빙	김희청		그 외 기타 운송관련 서비스...

1   확인   취소   [1/1] [총 29건]

↓

체크를 하고 확인 버튼을 클릭하면 아래와 같이 기간별로 사업보고서가 나옵니다.
(사업보고서는 1년 단위로 대부분의 기업이 매년 3월에 공시하고 있어요.)

↓

사업보고서를 들어가면 드디어 기업의 공식적인 모든 것을 볼 수 있는 정보의 세계가 펼쳐집니다.

연결 재무제표를 클릭하면 재무상태표, 손익계산서, 자본변동표, 현금흐름표의 순서대로 볼 수 있고,
주석사항은 연결재무제표 밑에 칸에 별도로 공시되어 있답니다.

손익계산서

매출액	초코파이 매출량 ＊ 판매가
매출원가	초코파이 원재료, 인건비 등
매출총이익	매출액 — 매출원가
판매관리비	생산직원 외 인건비, 광고비 등
영업이익	매출총이익 — 판매관리비
기타손익	외환차익, 임대손익 등
금융손익	예금 이자, 배당수익 등
지분법손익	많이 투자한 회사의 당기순이익
법인세비용	법인세 세금
당기순이익	영업이익 — 기타손익 — 금융손익 — 지분법손익 — 법인세

by 현명한 직장인

손익계산서란?

손익계산서는 그 기업의 손실(비용)과 이익을 나타내는 표입니다. 국내 대부분의 기업들은 1.1 ~ 12.31.까지의 기간을 1회계기간으로 하고 있습니다.

따라서 사업보고서에는 1.1 ~ 12.31. 까지 1년치의 손익이 계산되어 있고, 각 분기별로는 또 1분기, 반기보고서, 3분기 보고서로 3개월, 6개월(2분기 3개월&6개월 누계 포함), 9개월치(3분기 3개월&9개월 누계 포함)를 보고하고 있습니다.

공격력 : ★★★
방어력 : ★★★★

손익계산서는 게임으로 치면 공격력을 나타내는 의미로 생각해볼 수 있어요.

게임캐릭터의 공격력이 강하다면 그만큼 레벨업도 빠를 수 있겠죠?

마찬가지로 기업의 이익률이 높아 이익이 빠르게 증가하면 기업의 성장이 더 빨라질 수 있어요.

반면 재무상태표는 그 기업의 기본적인 구조, 기업의 신체라고도 생각해볼 수 있어요. 기업이 안정적인 재무구조(신체)를 가지고 있다면 이를 뒷받침해 이익을 낼 수 있으니까요. 그럴듯한 비유일까요.. ^^;

2022년 삼성전자 손익계산서

위에 보시는 표가 실제 삼성전자의 2022년 손익계산서에요. 지금 부터 저기에 해당하는 항목을 하나하나 살펴볼 예정이에요. 국내 시총 1위 삼성전자이지만, 손익계산서 자체는 크게 복잡하지 않죠? 전세계 모든 기업들의 손익계산서 역시 언어만 다를 뿐 위 형식에서 크게 벗어나지 않아요. 지금부터 하나씩 살펴보도록 하겠습니다.

매출액

매출은 기업이 자기의 본업으로 제품, 서비스, 용역을 제공, 판매한 결과를 의미합니다.

초코파이 1박스를 천원의 현금을 받고 팔면, 오리온은 현금이라는 자산 천원이 생기고, 매출 천원을 기록하게 됩니다. 서비스와 용역도 마찬가지 입니다.

Q&A

돈을 받지 않고 외상으로 팔면?

외상으로 팔더라도 매출로 인식을 합니다. 초코파이를 다시 예로 들면, 오리온이 초코파이 1박스를 천원에 팔았는데 외상으로 팔았다면, 오리온은 현금 대신 매출채권(매출로 인해 발생한 채권이라는 뜻, 채권: 내가 남에게 받을 돈) 천원이 생기고, 매출로 천원을 기록하게 됩니다.

매출원가는 우리가 흔히 말하는 원가 라는 의미와 가깝습니다.

일상 생활에서 우리가 말하는 원가는 원재료 가격이라는 의미가 가깝지만,

but! 사실 매출원가는 제품, 서비스 등을 생산하기 위해 쓰여진 원재료 뿐만 아니라 이를 위해 들어간 인건비, 전력비용, 기계가 노후화됨에 따른 감가상각비 등 여러 비용들이 혼재되어 있답니다.

빵 매출원가의 예시

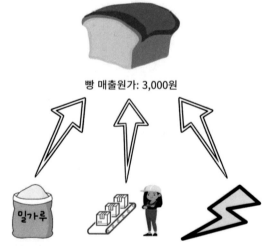

빵 매출원가: 3,000원

원재료비 1,000원   생산 인건비 1,000원   전기요금 1,000원

※ 손익계산서의 어디에?

☞ 매출액과 매출원가는 "연결재무제표 → (연결 포괄)손익계산서에 위치해있습니다.

※ 참고로 매출총이익은 매출액 - 매출원가 = 매출총이익 입니다.

심 화

매출원가율 = 매출원가 / 매출액

매출원가율이 높다? 그럼 매출액에서 매출원가가 차지하는 비중이 높다는 뜻을 의미합니다. 원가율이 높으면 매출액이 아무리 많더라도 원가가 많은 비중을 차지하기 때문에 기업의 손에 떨어지는 콩고물(이익)이 적어지게 됩니다.

초코파이의 원가율이 80%라면?

오리온이 초코파이 1박스를 천원에 팔았으나, 원가 즉 초코파이
를 생산하는데 들어간 원재료, 인건비, 전력비 등이 800원이라는
뜻입니다. 결국 오리온은 천원에 팔아도 200원의 이익만 가지게
되는 거죠.

실전 사례

1. 내수 vs 수출?

디씨엠 매출 현황 (단위: 백만원)

디씨엠		2014	2015	2016	2017	2018	2019	2020	2021	2022
LAMINATED 칼라강판 (Ton)	수출	50,601	56,914	82,741	86,874	80,192	115,316	138,160	210,144	196,855
	내수	44,195	31,921	27,695	28,389	23,976	20,237	18,470	29,442	34,156
	합계	94,796	88,835	110,436	115,263	104,168	135,553	156,630	239,586	231,011
산업용 FILM(Ton)	수출	2,253	1,750	2,319	2,288	2,323	2,168	1,823	1,931	2,080
	내수	7,028	5,720	5,691	5,336	4,370	4,249	5,147	5,589	5,565
	합계	9,281	7,470	8,010	7,624	6,693	6,417	6,970	7,520	7,645
기타	수출	·	·	·	·	·	·	·	·	·
	내수	8,139	6,778	4,341	4,462	4,307	3,356	1,776	3,723	1,948
	합계	8,139	6,778	4,341	4,462	4,307	3,356	1,776	3,723	1,948
합계	수출	52,854 (47%)	59,226 (56%)	86,174 (67%)	89,162 (70%)	82,515 (72%)	117,484 (81%)	139,983 (85%)	212,075 (85%)	198,935 (83%)
	내수	59,384 (53%)	46,929 (44%)	42,367 (33%)	38,187 (30%)	32,653 (28%)	27,842 (19%)	25,393 (15%)	38,754 (15%)	41,669 (17%)
	합계	112,238	106,155	128,541	127,349	115,168	145,326	165,376	250,829	240,604

위 자료는 칼라강판을 제조하는 디씨엠의 매출 현황입니다.

2022년도 기준 수출 매출 비중이 80%가 넘는 모습이에요. 곰곰
이 생각해보면 국내 모든 기업들은 태생적 한계가 있어요. 바로 내
수의 규모입니다.

전체 산업	계	6,079,702	24,931,600
	단독사업체	5,729,231	17,538,082
	본사,본점 등	84,874	3,208,727
	공장,지사(점),영업소	265,597	4,184,791

출처: 통계청 KOSIS, "전국사업체조사 10차개정 사업체수"

인구 5천만명에 사업체수는 6백만개가 넘죠. 그만큼 경쟁은 치열하고 적은 인구수를 대상으로 내수 규모는 너무나 적은 수준입니다.

그런 의미에서 국내 대부분의 기업을 대상으로 분석할 때는 반드시 내수와 수출의 매출 비중을 살펴보아야 합니다. 수출 비중이 클수록 국내에서 발생하는 사건·사고들에 영향을 덜 받고 안정적인 매출 상태를 유지할 수 있기 때문이죠.

DART에서는 2021년 사업보고서 공시분부터 『매출 및 수주상황』을 별도로 표기하여 기업들의 매출현황을 사업, 수출-내수로 구분하여 확인하실 수 있습니다.

한편 2021년 이전 사업보고서에서는 주로 『재무제표 주석』이나 『사업의 내용』을 클릭하여 찾아보실 수 있으며, 간혹 수출과 내수가 구분되어 있지 않은 법인은 주석에 별도 설명이 있는지 파악해야하며, 아마도 대부분은 내수 위주로 판단하실 수 있습니다.

2. 매출의 편중 위험

얼마 전 상장한 파두에 대해 다음과 같은 뉴스가 있었어요.

상장 이후 3분기 보고서가 나오고, 실적의 급감을 보이자 주식청약에 참여했던 많은 사람들이 항의의 목소리를 낸 것이죠.

아시아경제 ㉿ 구독

법무법인 한누리 "'뻥튀기 상장 의혹' 파두·증권사에 집단소송 낼 것"

입력 2023. 11. 15. 오후 2:07   수정 2023. 11. 15. 오후 2:09   기사원문

김대현 기자 TALK

15일 한누리는 "올해 2분기 매출이 사실상 '제로(0)'에 해당한다는 사실을 감추고 IPO를 강행한 파두 및 NH투자증권, 한국투자증권 등 증권주관사를 상대로 증권 관련 집단소송을 제기할 방침"이라며 이같이 밝혔다.

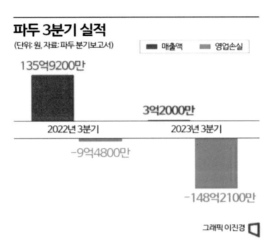

파두 3분기 실적

(단위: 원, 자료: 파두 분기보고서)   ■ 매출액   ■ 영업손실

135억9200만

3억2000만

2022년 3분기   2023년 3분기

-9억4800만

-148억2100만

그래픽 이진경

한누리는 "파두가 상장 절차를 중단하지 않은 것은 2분기 매출이 사실상 제로에 가깝다는 사실이 밝혀지면 상장추진 자체가 어렵다고 판단했기 때문일 것"이라며 "자본시장법 제125조에 따르면, 증권신고서와 투자설명서의 중요사항에 거짓 내용이 있거나 중요사항이 적히지 않아 증권의 취득자가 손해를 입은 경우 신고인과 인수인(주관증권사)에 손해배상 책임을 묻는다"고 말했다.

출처: 네이버 증권

번호	공시대상회사	보고서명	제출인	접수일자	비고
31	파두	[기재정정]투자설명서	파두	2023.07.26	

상장하려는 기업들은 상장 전 DART에 투자설명서를 제출하게 되어 있어요.

파두의 투자설명서를 한번 살펴보면, 다음 페이지 그림과 같이 "매출의 상위 2개 업체가 21년부터 총 매출의 86%, 99%, 98%가 상위 2개 업체가 차지"한다고 설명하고 있어요.

매출이 특정 업체에 치중되어 있으면 오로지 회사의 운명이 모두 그 상대회사에 달려있다해도 과언이 아닙니다. 매출이 수출-내수, 다양한 매출처로 다변화되어 있으면 어느 특정 대상에 영향을 받을 가능성이 낮아지고, 그만큼 안정적인 매출 구조를 유지할 수 있겠죠.

출처: 파두 투자설명서

일반적으로 이런 매출처의 편중 등의 내용은 상장기업의 경우에는 투자설명서, 이미 상장된 기업들은 재무제표 주석에서 찾아볼 수 있으며, 주석에 설명하지 않는 기업들은 각종 증권사의 기업보고서를 통해 간접적으로 확인해볼 수 있습니다.

3. 매출액과 매출원가의 상대적 증감율 분석

위 기업은 세계 최대 규모 아연과 연 생산업체인 고려아연입니다. 고려아연의 매출액은 2019년을 제외하고 꾸준히 증가하는 모습이에요.

구 분	2017	2018	2019	2020	2021
매출액	6,596,671	6,883,323	6,694,811	7,581,927	9,976,776
매출액 증감	11.4%	4.2%	-2.8%	11.7%	24.0%
매출원가	5,527,932	5,979,324	5,743,571	6,546,773	8,720,478
매출원가증감	11.3%	7.5%	-4.1%	12.3%	24.9%
매출원가율	83.8%	86.9%	85.8%	86.3%	87.4%
매출총이익	1,068,740	904,000	951,240	1,035,153	1,256,299

고려아연의 5개년 손익계산서 일부 (단위: 백만원)

기본적으로 매출원가율이 85%이상으로 높은 것을 확인할 수 있네요. 그럼 더 자세히 살펴볼까요.

2017년에는 매출액이 +11.4% 증가하는 와중에 원가는 11.3% 증가에 그쳤습니다. 매출액이 원가보다 더 크기 때문에 비슷한 비율로 증가한다면 (매출액 - 매출원가)인 매출총이익은 전년대비 더 증가하겠죠.

2018년에는 매출액이 +4.2% 증가한 반면 원가는 +7.5%로 더 크게 증가했어요. 고려아연의 경우 원가율이 85%이상으로 높기 때문에 매출총이익을 전년과 동일한 수준으로 유지하려면 매출액의 증감율과 원가의 증감율이 비슷해야 해요. 2018년 매출액이 증가하긴 했으나 원가가 +7.5%로 더 크게 증가하는 탓에 매출총이익은 감소하였어요. 이는 결과적으로 영업이익과 당기순이익 하락에 큰 영향을 줬죠. (고려아연이 2017년 매출총이익 규모를 유지하기 위해선 최소 매출원가가 5.2%정도만 증가했어야 하나 더 큰 폭으로 증가했어요.)

· 매출액 증가율 ≧ 매출원가 증가율: 매출원가 증가분을 소비자 판매가에 전가 or 비용관리 능력: Good = 기업의 경쟁력이 있음
· 매출액 증가율 〈 매출원가 증가율: 원가 증가분을 기업이 고스란히 부담, 판매가에 전가 × = 기업의 경쟁력이 낮음

우리가 상장되어 있는 모든 기업들의 사업구조, 판매가와 원가 결정 구조, 기업 경쟁력 등을 판단하기에는 무리가 있어요. 다만 매출액과 매출원가를 통해 그 기업이 경쟁력이 있어 원가 상승분을 판매가에 전가시킬 수 있는지(전가시켜도 소비자가 이탈하지 않는지), 원가를 효율적으로 관리하고 원가 상승을 대처할 능력이 있는지를 이런 식의 간접적인 방법을 통해 살펴볼 수 있답니다.

투자자 입장에서의 매출액, 원가

✓ 매출액은 꾸준히 증가하고 있는가?

✓ 매출액이 증가율보다 매출원가의 증가율이 너무 커서 오히려 매출액이 증가함에도 매출총이익은 감소하지 않는가? = 원가의 증가분을 판매가에 전가할 수 있는가? = 해당 기업의 제품에 경쟁력이 있는가?

판매관리비(줄여서 '판관비')

판매비와 관리비는 생산한 제품, 서비스 등을 판매하는 데 들어간 비용 및 이 과정을 관리하는 데 들어간 비용 등 생산에 직접 기여하지 않았지만 간접적으로는 기여한 비용을 의미합니다.

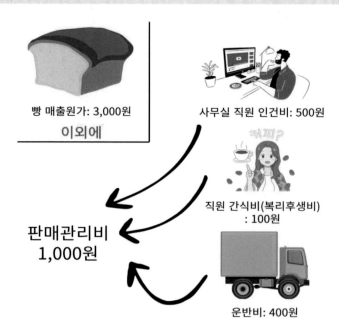

빵 매출원가: 3,000원
이외에

사무실 직원 인건비: 500원

직원 간식비(복리후생비) : 100원

판매관리비 1,000원

운반비: 400원

판매관리비는 주로 광고비, 인건비, 복리후생비, 각종 수수료, 공장 이외 건물의 전력비, 감가상각비 등이 포함됩니다.

Q&A

오리온 인사팀 직원의 인건비는 매출원가일까? 판매관리비(판관비)일까?

인사팀 직원은 직접적인 생산활동에 참여를 할까요? 안할까요? 대부분의 기업에서는 직접 생산활동에 참여하지 않는 것으로 보고 판매관리비로 분류하는 것이 일반적이에요.

반면 당연히 공장 생산직 직원들의 인건비는 매출원가로 들어가겠죠

영업이익

기업의 재무제표에서 가장 중요한 부분 중 하나.

영업이익 = 매출액 - 매출원가 - 판매관리비

일반적으로 기업의 순수 생산 가치*를 평가하는 기본적인 기준 중 하나

*영업이익 이야말로 기업의 본질적인 가치, 기업이 자신의 "본업을 통해" 벌어들인 순수한 이익을 의미합니다. 당기순이익으로 내려갈수록 일회성으로 발생한 수익과 비용, 환율로 인한 차익 등 기

업의 본업과는 관련없는 항목들이 점차 발생하게 되거든요.

심 화 (중요도: ★★★★★)

판매관리비율 (줄여서 판관비율)

판매관리비율 = 판매관리비 / 매출액

 판관비율이 높다는 것은 매출액에서 판관비가 차지하는 비중이 높은 것을 의미합니다.
 원가율과 마찬가지로 판관비율이 높다면 기업의 매출액이 높더라도 판매관리비로 나가는 비용이 많기 때문에 기업의 손에 떨어지는 콩고물도 적어지게 되겠죠.

영업이익률

영업이익률 = 영업이익 / 매출액

 영업이익률이 낮다는 의미는 매출액에서 매출원가와 판매관리비 등 비용으로 빠져나가는 비중이 높은 것을 의미합니다. 반대로 영업이익률이 높으면 비용이 그만큼 낮기 때문에 수익성이 좋다는 것을 의미합니다.

※ 판매관리비, 영업이익은 어디에?

☞ 판매관리비와 영업이익은 "연결재무제표 → (연결 포괄)손익계산서"에서 매출액와 매출원가, 매출총이익 아래에 확인하실 수 있습니다.

(오리온처럼 판매비, 관리비를 별도로 공시하는 곳도 있고 판매비와 관리비로 합쳐서 공시하는 곳도 있습니다.)

실전 사례 1) 나이스디앤비의 영업이익률

✓ 영업이익률은 기업의 경쟁력이 아니라, 기업이 처한 경쟁상황을 판단하는 척도이다.

※ 판매관리비의 세부 내역은 어디에?

☞판관비의 세부 내역은 사업보고서 내의 "연결재무제표 주석" 사항을 클릭하시어 판매비 또는 판매
비와관리비 등을 검색하시면 찾으실 수 있습니다.

구 분	2017	2018	2019	2020	2021
매출액	42,283	52,041	77,330	82,196	88,684
매출원가	33,829	41,618	64,532	68,108	71,747
매출원가율	80.0%	80.0%	83.5%	82.9%	80.9%
매출총이익	8,454	10,423	12,798	14,088	16,937
영업이익	8,454	10,423	12,798	14,088	16,937
영업이익률	20.0%	20.0%	16.5%	17.1%	19.1%

나이스디앤비 2017~2021년 손익 현황

나이스디앤비의 5개년 손익계산서 일부입니다. 나이스디앤비는 기업의 신용정보를 작성, 평가하고 수수료를 받는 기업이에요. 미국으로치면 S&P나 무디스, Pitch와 같은 신용평가기업이죠.

이러한 나이스디앤비의 평균 영업이익률은 20%에 육박합니다. 독자분들께서는 앞으로 많은 기업들을 분석해보시겠지만, 영업이익률 20%란 수준은 상당히 높은 편이이에요.

그런데 주의해야할 점은 영업이익률은 경쟁상황을 판단하는 척도이지 기업의 경쟁력 자체를 판단하는 척도는 아니라는 점입니다.

가. 매출 실적

(단위:백만원, 천US$)

매출유형	품목		제22기 3분기	제21기	제20기
서비스 및 용역	글로벌 기업정보 서비스	내수	10,326	16,503	14,871
		수출	3,624	4,726	4,141
			(US$2,765)	(US$3,627)	(US$3,896)
서비스 및 용역	신용인증 서비스	내수	26,863	36,642	40,023
서비스 및 용역	거래처관리 서비스 외	내수	3,785	5,375	5,682
합 계		내수	40,974	58,520	60,576
		수출	3,624	4,726	4,141
			(US$2,765)	(US$3,627)	(US$3,896)
		합계	44,598	63,246	64,717

나이스디앤비 2023년 3분기 보고서 중 일부

나이스디앤비의 매출현황을 보면 대부분 내수에요.

그리고 나이스디앤비의 분기보고서 좌측 『사업의 내용』 탭을 클릭해보면 이 신용평가사업이란 것이 허가사업으로 정부의 허가를 받아야 진행할 수 있는 사업임을 알 수 있습니다.

내수 위주의 정부허가 사업. 2022년 기준 영업이익이 169억 정도 되는데 신규 진입을 생각하는 기업 입장에서는 이 산업에 진출하여 170억원을 벌기 위해서는 일단 정부의 허가를 받아야 합니다. 그리고 이런 구조로 인해 국내 기업 신용평가사들은 "이크레더블", "한국기업평가", "나이스디앤비" 정도의 과점 시장을 이루고 있는데 이곳에 진입해야 하죠.

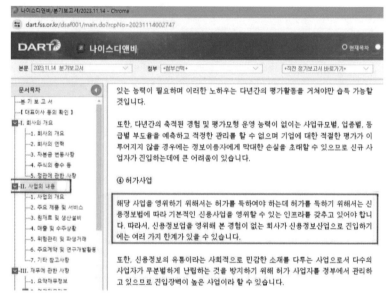

출처: 나이스디앤비 2023년 3분기 보고서

정부의 허가와 기존 과점 시장을 뚫고 벌어들일 수 있는 이익은 약 170억원인데 신규진입자 입장에서는 조금 불안할 수 밖에 없습니다. 게다가 이런 신용평가사들은 대부분의 비용이 인건비이기 때문에 일반 제조기업처럼 생산시설에 투자하여 유형자산이 남는 것도 아니죠. 잘못되면 남는 것도 없습니다.

그 결과 나이스디앤비, 이크레더블, 한국기업평가와 같은 기업 신용평가 기업들은 영업이익률이 높은 편입니다. (이크레더블의 경우 40%에 가까움)

이는 기업들의(기업들에게는 미안하지만) 경쟁력 자체가 높다는 것이 아니라 그 기업이 처한 경쟁상황이 약하고 이로 인해 상대적으로 다른 산업 시장에 비해 높은 영업이익률을 가져가고 있는 것입니다.

다만 앞으로 더 살펴보겠지만, 이러한 경쟁상황을 정부의 허가나 산업구조가 아니라 기업 스스로가 만들어낸 경우도 있을 수 있습니다. 즉 뛰어난 품질과 서비스, 경쟁력으로 경쟁자들을 물리쳐 경쟁상황을 없애고 그 시장에 군림하는 것이죠.

매출액은 매출단가(판매가격) * 판매량이고, 매출원가와 판매관리비는 원재료비와 직원 인건비, 운반비 등입니다.

시장에 군림하는 기업은 위 요소 중 하나. 판매단가를 올릴 수 있는 힘이 있습니다. 왜냐면 판매가격을 올리더라도 소비자들이 대체할 수단이 없고 그대로 구입할 수 밖에 없기에 기업입장에서는 매출원가와 판매관리비가 그대로이더라도 매출단가를 높여 영업이익률을 더 높일 수 있답니다.

※ 코카콜라 가격이 오른다면 당장에야 대신 사이다를 마시거나 스포라이트(같은 계열이지만)를 마실 순 있겠죠. 그런데 그 코카콜라만이 가지고 있는 특유의 콜라향에 다시 마트에서 손길을 내밀진 않나요?

실전 사례2) 코스트코의 영업이익률

✓ 영업이익률이 낮다고 무조건 안 좋은 기업인가?

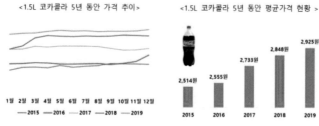

출처 : 소비자물가정보서비스

구분	2018	2019	2020	2021	2022
매출액	141,576	152,703	166,761	195,929	226,954
매출원가	123,152	132,886	144,939	170,684	199,382
매출원가율	87.0%	87.0%	86.9%	87.1%	87.9%
영업이익	4,480	4,737	5,435	6,708	7,793
영업이익률	3.2%	3.1%	3.3%	3.4%	3.4%

2018~2022년 코스트코 손익계산서 정리

위 표는 국내에도 유명한 미국 거대 소매 유통업체 코스트코의 5개년 손익계산서를 요약한 내용입니다.

보시면 평균적으로 매년 3.1~3.4%사이의 영업이익률을 보이고 있어요. 매우 낮은 수치이죠.

기업이 시장을 지배하는 방법은 여러 가지가 있어요. 코카콜라처럼 사람들의 입맛과 취향을 사로잡거나, ASML이나 TSMC처럼 기술로서 경쟁사를 압도하거나, 그것도 아니면 GOOGLE처럼 플랫폼이나 MS처럼 소프트웨어로 사용자들을 묶어놓는 방법이 있죠.

그렇지만 이런 방법 이외에 시장을 지배하는 방법이 있어요. 위

코스트코처럼 업계에서의 역사와 규모의 경제로 밀어붙이는 방법이죠.

코스트코를 예로 들면 이 기업이 속한 산업에는 특별한 기술이나 법적 제한이 없기에 경쟁사의 진입이 매우 쉬운 편이에요. 제가 바로 앞에서 말했죠? 영업이익률은 그 기업 자체의 경쟁력보단 그

기업이 속한 산업의 경쟁력의 기준이라고요. 누구나 쉽게 진입할 수 있으니 이익률도 낮아요.

코스트코는 이 3%짜리 얼마 안 되는 것 같은 이익률로 왜 꾸준히 영업을 이어나갈까요? 단순해요. 영업이익률이 3%라도 이 이익률을 꾸준히 유지하면서 매출액 역시 증가시키고 있거든요.

매출액이 증가하는 와중에 꾸준히 영업이익률 3%를 지키면 자연스레 영업이익 규모 자체도 매년 커지는 거에요. 코스트코의 2022년 기준 영업이익은 약 $7,793백만달러(한화 약 10조)입니다.

이익률이 3%라도 규모가 크니 그 이익도 크고 매년 매출액 역시 증가하기 때문에 이익도 계속 증가할 가능성이 커요.

이제 제가 만약 코스트코의 경쟁사의 입장이라고 생각해볼까요. 제가 이 유통업 시장에 뛰어들려면 코스트코, 이마트 같은 공룡같은 경쟁사를 상대해야 해요. 이들보다 더 신선한 고기와 야채, 깔끔한 서비스를 제공해야 하죠. 그런데 그렇게 제공하고 남는 건

3%짜리 이익률이에요.

장사가 안 되면 신선한 고기와 야채의 회전이 느릴 뿐 아니라 직원이 줄면서 서비스 역시 악화될 가능성이 커요. 그렇게 버텨도 남는 게 3% 이익률이에요. 제가 장사를 할 맛이 날까요?

코스트코 같은 기업들은 어마어마한 자본력을 통해 매년 꾸준한 CAPA투자(유통업 기준에선 유통매장에 대한 인테리어 및 시설투자)를 통해 지속적으로 고객들을 유입시킬거에요. {이 부분은 이후 유형자산 CAPEX 투자 편에서 더 자세히 살펴보겠습니다}

막연하게 생각할 수 있어요. 이익률 3%짜리 회사. 그러나 그 이익률을 꾸준히 유지시키면서 몇십년간 매출액을 늘리는 건 사실 기적과 같은 일이에요. 그리고 오히려 이런 기업들이 평균 이익률 2자릿수를 넘기는 기업들보다 오히려 더 가치 있는 기업일 수도 있지 않을까요?

투자자 입장에서의 판관비, 영업이익

✓ 판관비의 구성요소는? (지급수수료가 많다면 그다지 좋지 않음)
✓ 영업이익률은? 그 이익률을 꾸준히 유지 or 증가시키고 있는가?

기타수익

기타수익은 말 그대로 '기타'수익, 기업이 본업이 아닌 다른 활동을 통해 벌어들인 수익을 의미합니다.

→ 오리온이 초코파이를 팔고 번 수익은 매출액으로 들어갑니다. 하지만 갖고 있던 유휴 공장 부지를 팔아서 토지 매각 차익이 발생하면 이는 본업(초코파이 생산·판매)으로 발생한 수익이 아니기 때문에 기타 수익(=유형자산 처분이익)으로 분류합니다.

※ 기타수익의 예시

⊙ 외환차익, 외화환산차익(둘의 차이점은 생략)

오리온이 1월 1일에 미국에 초코파이를 팔고 1달러로 받았어요. (1.1 기준 1$=1,000원). 그런데 환율은 매일 변동하는데 환율이 1$ = 1,500원으로 오르면 오리온은 이득이겠죠? 그럼 오리온은 외화환산이익을 기록하고 반대일 경우 외화환산손실을 기록하게 됩답니다.

⊙ 임대료수익

오리온이 사용하지 않는 부동산을 다른 기업에 임대해주고 받은 수익을 의미합니다. 오리온의 본업은 초코파이 만드는 것인데 부동산을 임대해주고 받은 수익은 당연히 기타수익으로 분류하게 됩니다.

Tip 일반적인 기업들의 기타수익은 대부분 외환차익, 외화환산차익, 유형자산처분이익 범위에서 벗어나는 일은 크게 없답니다.

기타비용

기타비용은 정확히 기타수익과 반대의 개념입니다. 더 간단하게는 매출원가와 판매관리비에도 포함되지 않는 비용의 모임입니다.

→ 기타수익과 반대이기 때문에 당연히 외환차손, 외화환산손실이

있겠죠

※ 기타수익과 기타비용은 어디에?

연결 포괄손익계산서
제 5 기 2021.01.01 부터 2021.12.31 까지
제 4 기 2020.01.01 부터 2020.12.31 까지
제 3 기 2019.01.01 부터 2019.12.31 까지

(단위 : 원)

	제 5 기	제 4 기	제 3 기
수익(매출액)	2,355,499,705,531	2,229,819,933,633	2,023,296,057,252
매출원가	1,409,109,816,274	1,276,757,945,973	1,110,079,910,326
매출총이익	946,389,889,257	953,061,987,660	913,216,146,926
판매비	442,663,562,697	428,868,962,953	457,930,853,625
관리비	130,816,419,158	148,071,011,911	127,696,547,944
영업이익(손실)	372,909,907,402	376,122,012,796	327,588,745,357
순기타수익(비용)	(1,879,148,936)	17,224,878,837	(17,350,819,832)
순금융수익(원가)	7,555,023,618	3,439,210,634	(2,136,300,286)
지분법이익(손실)	461,507,792	564,912,310	7,493,902
법인세비용차감전순이익(손실)	379,047,289,876	397,351,014,577	308,109,119,141
법인세비용	115,385,469,197	122,788,740,199	87,641,211,577
당기순이익(손실)	263,661,820,679	274,562,274,378	220,467,907,564
기타포괄손익	161,849,412,687	(35,266,744,345)	27,477,224,396

?

☞ 판매관리비와 영업이익은 "연결재무제표 → (연결 포괄)손익계산서"에서 영업이익 아래에 확인하실 수 있습니다.

※ 기타비용의 예시

⊙ 외환차손, 외화환산손실

⊙ 유형자산처분손실

　- 가지고 있는 토지, 건물, 기계장비를 팔아서 본 손실

⊙ 재고자산폐기손실

　- 재고로 쌓아뒀던 초코파이가 상하거나, 갑자기 홍수로 초코파이가 물에 다 젖는다면 그 금액만큼을 폐기손실로 기록합니다.

※ 기타수익과 기타비용의 세부내역은 어디에?

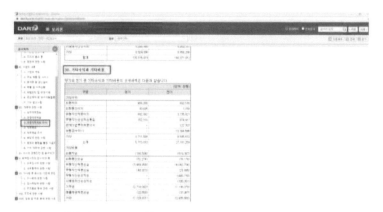

☞ 기타손익의 세부 내역은 사업보고서 내의 "연결재무제표 주석" 사항을 클릭하시어 기타수익, 기타
비용 등을 검색하시면 찾으실 수 있습니다.

실전 사례 1) 영업이익은 괜찮았는데, 당기순이익은 급변했다?

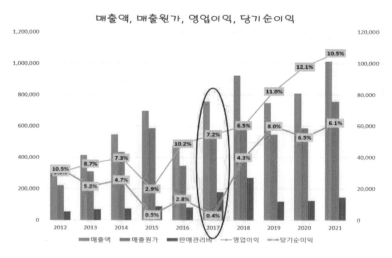

KG이니시스 10개년 손익계산서 요약

간혹 분석을 하다보면 영업이익과 당기순이익의 차이가 크게 벌어지는 해가 있습니다. 【매출액 - 매출원가 = 매출총이익 - 판매관리비 = 영업이익 - 영업외손익, 금융손익 = 당기순이익】 이기 때문에 어느 한 해에 영업이익과 당기순이익의 차이가 크다면 결국 영업외손익이나 금융손익에서 갑작스러운 이익이나 손실이 발생했다는 의미에요.

위 KG이니시스 같은 경우 2017년에 특히 영업이익률은 7.2%로 준수하게 나왔으나 당기순이익률은 0.4%로 매우 큰 차이를 보이고 있습니다. 이 부분은 위에서 설명드린 주석의 기타수익, 기타손실 부분에서 확인할 수 있어요.

기타비용		
기타의대손상각비	5,107,891	2,306,753
파생상품평가손실	1,363,338	-
유형자산처분손실	162,504	87,014
유형자산폐기손실	7	73,861
유형자산손상차손	1,890,960	-
무형자산처분손실	66,545	-
무형자산손상차손	4,728,287	58,025
재고자산평가손실	388,045	311,573
재고자산감모손실	380	73,315
매도가능금융자산처분손실	2,497	-
매도가능금융자산손상차손	-	457,515
기부금	98,324	132,734
금융보증비용	27,428	112,819
잡손실	3,089,767	718,956
합 계	16,925,973	4,332,565

KG이니시스 기타비용 좌측: 2017년 우측: 2016년

KG이니시스는 전자결재서비스를 제공하는 기업인데, 그 외에도 당시 KG에듀원을 인수하며 학원경영업도 하고, KFC도 인수하며 프랜차이즈 외식 사업도 진출 하였습니다.

이런 여러 사업 분야에서 일부 채권에 문제가 생겨 기타의 대손상각비를 인식했고, 유무형자산의 손상차손도 인식하였습니다. (추후 설명)

이렇게 일시적 손실들, 그리고 그 중에서도 제가 가장 최악으로 꼽는 손상차손들이 큰 금액 발생하며 영업이익은 정상적으로 기록했지만 당기순이익에서 매우 저조한 실적을 보이게 되었습니다.

실전 사례 2) 한국정보인증의 관계기업손상차손

구분	2012	2013	2014	2015	2016	2017	2018	2019	2020	2021
매출액	32,022	29,280	29,531	32,406	34,922	36,125	38,913	42,606	45,712	58,871
영업이익	4,498	4,685	4,209	5,534	6,962	8,131	9,012	9,271	10,421	11,671
금융손익	934	579	770	808	773	1,250	1,346	1,350	1,104	1,539
기타손익	-312	-114	-254	165	13	-12	105	-30	183	49
지분법손익	-21	0	0	0	-258	587	27	-585	1,523	3,708
관계기업투자 손상차손						-2,306	-208	-323	-665	-843

한국정보인증의 10개년 손익계산서 정리

살펴보면 관계기업(관계기업에 대한 정의는 아래 재무제표에서..)의 손상차손이 2017년부터 꾸준히 발생한 모습.

2017년으로 거슬러 사업보고서를 보면,

(단위: 원)

구 분	당기말			전기말		
	주식수	지분율	장부금액	주식수	지분율	장부금액
Nok Nok Labs, Inc.(*1)	1,197,103	1.81%	-	1,000,000	1.91%	2,101,168,883
키움프라이빗에쿼티	2,000,000	20.00%	10,573,849,494	-	-	-
키움더드림단기채증권투자신탁	-	33.50%	10,013,242,626	-	-	-
합계			20,587,092,120			2,101,168,883

(*1) 연결기업은 동 피투자자의 이사회에 참여하고 있는 등 유의적인 영향력을 보유하고 있으므로 해당 지분을 관계기업투자로 분류하였으며, 당기 중 손상검사 수행결과, 장부금액이 회수가능액을 현저히 초과하여 손상차손을 인식하였습니다.

2017년부터 Nok Nok Labs라는 생체인증 관련 기업에 투자했는데 21억원 전액을 손상차손으로 비용처리 해렸습니다. 그런데 뭔가 싸해요 '피투자자의 이사회에 참여'하고 있다? 일단 다음해를 살펴보면,

<당기> (단위: 원)

회사명	기초평가액	취득	지분법손익	손상차손	지분법자본변동	기말평가액
Nok Nok Labs. Inc	-	323,305,358	-	(323,305,358)	-	-
키움프라이빗에쿼티	10,929,948,536	-	(520,472,483)	-	(305,045,440)	10,104,430,613
MANNY JOINT STOCK COMPANY	-	4,706,683,800	(64,484,206)	-	(87,727,483)	4,554,472,111
합계	10,929,948,536	5,029,989,158	(584,956,689)	(323,305,358)	(392,772,923)	14,658,902,724

<전기> (단위: 원)

회사명	기초평가액	취득	지분법손익	대체	손상차손	기타	기말평가액
Nok Nok Labs. Inc.	-	208,278,386	-	-	(208,278,386)	-	-
키움프라이빗에쿼티	10,573,849,494	-	5,180,247	-	-	350,918,795	10,929,948,536
키움더드림단기채증권투자신탁	10,013,242,626	-	21,402,476	(10,034,645,102)	-	-	-
합계	20,587,092,120	208,278,386	26,582,723	(10,034,645,102)	(208,278,386)	350,918,795	10,929,948,536

(*2) 당기 중 실시된 유상증자에 참여하여 Nok Nok Labs, Inc. 주식 584,301주를 323,305,358원에 추가 취득하였으며, 손상검사 수행결과 장부금액이 회수가능액을 현저히 초과하여 손상차손을 인식하였습니다.

정리해보면, 2017년에 전액 손상차손 인식한 회사의 2018년 유상증자에 참여..(2억여원), 그런데 또 사자마자 전액 손상차손. 2019년도에도 마찬가지. 2019년 유상증자에 참여하여 3억2천 사

자마자 전액 손상차손. 이대로 2020년까지 지속.

 이사회에 참여하고 있는 회사의 유상증자에 3년 연속 참여하고 매입한 당해 바로 손상차손으로 인식한다? 아무리 이익을 잘 뽑아내는 기업이라도 이 정도면 주주들을 위해 상세히 설명해주는 게 필요할 듯 합니다..

투자자 입장에서의 기타손익

✓ 발생하는 기타손익들이 10년에 한번 일시적으로 발생하는 건지, 아니면 간격을 두고 지속적으로 발생하는건지? 3~4년에 한 번 발생하는 손상차손이 과연 우연인가?
✓ 10년에 한번있는, 기업 입장에서 어쩔 수 없는 손실들로 인한 순이익 하락은 오히려 남들이 놓친 기회가 될 수도..

[재무제표 분석하기] 4편. (손익계산서) 금융수익과 금융비용

금융수익과 금융비용

금융수익은 예금이자수익, 주식·채권등의 평가이익, 채권의 이자수익 등을 의미하며 금융비용은 반대로 차입금, 발행 회사채에 따른 이자비용, 주식·채권 등의 평가손실 등을 의미합니다.

예를 들어 오리온의 삼성전자 주식이 3만원으로 샀다가 연말에 1만원으로 떨어지면 그 차액을 금융자산평가손실로 분류하고, 연중에 1만원에 팔았다면 차액 2만원은 금융자산처분손실로 분류하게 됩니다.

※ 이전 기타수익·비용 부분에서 살펴봤던 외환차손,외화환산손익, 그리고 배당금 등도 사실 금융손익과 기타손익에서 기업 본인들의 자체적인 기준으로 분류하여 쓰입니다.

성격에 따른 금융손익↔기타손익의 분류

 보통은 금융기관과의 거래와 관련된 외환 관련 손익은 금융손익.
예) 오리온이 갖고 있던 원화를 엔화로 바꿔 일본 예금에 놓는
경우

 그 외 기업자체의 활동을 통해 발생한 외화 관련 손익.
예) 오리온이 미국에 초코파이를 팔고 달러로 받아 놓고 있을
경우에는 기타손익에 분류하여 놓습니다.

 그렇기에 기업의 분류기준에 따라 외환차손이 기타손익과 금융손
익에 나뉘어 있는 경우가 있답니다.

※ 금융수익과 금융비용은 어디에?

→ 재무제표 작성은 기업별로 자율성이 많기 때문에, 금융수익-금융비용을 나눠서 2줄로 작성할지,
아니면 합쳐서 순액으로 할지, 그리고 이름을 순금융수익으로 하고 손실은 (-) 표시를 할지, 아니면 금
융손익 이라고 쓰고 손실은 (-)로 표시할지, 이 모든 부분이 기업에서 작성하고 싶은 대로 하게 되어
있으니 참고하여 주세요^^

※ 금융수익, 금융비용의 상세 내역은 어디에?

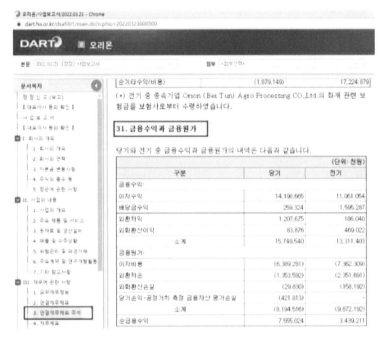

☞ 금융손익의 세부 내역은 사업보고서 내의 "연결재무제표 주석" 사항을 클릭하시어 금융수익, 금융
비용 등을 검색하시면 찾으실 수 있습니다.

실전 사례) 미국 건자재 유통업체 Home Depot로
　　　　　 보는 이자비용 분석

　다음 표는 미국에 소재한 주택, 건축자재 판매기업 HomeDepot의
이자비용과 당기순이익을 비교한 표입니다.
　HomeDepot은 차입금이 굉장히 많기로 유명한데, 그만큼 이자비

용도 상당한 수준으로 발생하고 있는 모습입니다.

Home Depot	2018	2019	2020	2021	2022
당기순이익	11,121	11,242	12,866	16,433	17,105
이자비용	974	1,128	1,300	1,303	1,562
이자비용/당기순익	8.8%	10.0%	10.1%	7.9%	9.1%
기존 당기순이익률	10.3%	10.2%	9.7%	10.9%	10.9%
개선 당기순이익률	11.2%	11.2%	10.7%	11.7%	11.9%

HomeDepot의 이자비용과 당기순이익 비교

표를 보면 당기순이익 대비 10%가량이 이자비용인데, 만약 차입금이 없고 이자비용이 발생하지 않는다면 기존 당기순이익률에서 개선 당기순이익률로 증가할 수 있습니다. 보시면 HomeDepot의 경우 이자비용을 줄이는 것만으로도 당기순이익률이 1% 증가할 수 있는 것으로 확인됩니다.

당기순이익률 1%가 별 것 아닌 것 같지만, 기업에게 남는 마지막 순이익률이 1% 증가한다는 것은 사실 상당한 비율의 증가로 볼 수 있답니다.

이처럼 차입금이 많고 이자비용이 많이 발생하는 기업들은 특별히 유의하여 볼 필요가 있겠습니다. 위 예시의 HomeDepot의 경우 이자비용의 부담이 크지만 그만큼 매출액의 상승률이 굉장하고 충분히 유지 가능한 수준이지만, 만약 그렇지 않은 기업의 경우 차입금에 따른 이자비용이 많을 경우 금리 변동 만으로 기업 순이익률에 큰 영향을 미칠 수 있습니다.

그러니 반드시 이자비용의 비중이 큰 기업을 볼 때에는 그만한 매출 성장률이 동반되는지, 현금은 충분히 갖고 있는지 등을 살펴야 할 필요가 있습니다. (더 자세한 부분은 재무상태표 부채의 "차입금" 편에서 살펴보겠습니다.)

심 화 1) 비용 마무리. 비용의 성격별 분류

지금까지 기업의 비용(매출원가, 판매관리비, 영업외비용, 금융비용)을 모두 살펴보았습니다.

그럼 기업의 비용을 저렇게 구분하지 말고 한꺼번에 볼 순 없을까요? 당연히 있습니다.

•

모든 공시기업들은 『재무제표 주석』란에 "비용의 성격별 분류"를 공시하고 있습니다. 비용의 성격별 분류는 기업의 모든 비용 중에서 매출원가와 판매관리비를 구분하지 않고 한꺼번에 성격별로 분류해놓은 것을 의미하는해요. (다만 기타비용, 금융비용은 미포함)

삼성전자 2023년 3분기 재무제표 주석 "비용의 성격별 분류"

위 예시는 국내 시총 1위 삼성전자의 재무제표 주석 중 "비용의 성격별 분류" 내용입니다. 상당히 거대한 기업임에도 비용을 성격별로 분류해보면 딱히 복잡하지도 않죠?

비용의 성격별 분류는 매출원가 + 판매관리비이기 때문에 이 항목들은 매출원가와 판매관리비로 나뉘어져요.

앞서 매출원가 편에서 언급한 것처럼 같은 급여라도 생산직 근로자의 급여라면 매출원가에, 사무실 근로자의 급여는 판매관리비에, 또는 공장 건물의 감가상각비는 매출원가에, 사무실 건물의 감가상각비는 판매관리비로 분류될 수 있답니다.

26. 비용의 성격별 분류

당분기와 전분기 중 비용의 성격별 분류 내역은 다음과 같습니다.

(단위: 천원)

구분	당분기 매출원가	당분기 판매관리비	당분기 성격별 비용	전분기 매출원가	전분기 판매관리비	전분기 성격별 비용
원재료 등의 사용액	859,458,166	–	859,458,166	810,191,151	–	810,191,151
상품의 구매액	98,510,465	–	98,510,465	82,505,620	–	82,505,620
재고자산의 변동	14,705,324	–	14,705,324	28,042,214		28,042,214
종업원급여	75,148,646	184,165,123	259,313,769	70,965,179	168,257,640	239,222,819
세금과공과	13,628,186	17,447,357	31,075,543	2,283,575	17,388,956	19,672,531
지급임차료	500,556	11,179,176	11,679,732	247,707	12,724,767	12,972,474
감가상각비 등	94,277,050	13,698,831	107,975,881	96,141,542	15,086,248	111,227,790
사용권자산상각비	754,143	9,409,505	10,163,648	782,310	8,642,593	9,424,903
광고선전비	–	19,321,043	19,321,043	–	22,906,127	22,906,127
운반비	1,736,268	69,859,101	71,595,369	20,760,708	65,845,489	86,606,197
차량유지비	186,013	2,903,702	3,089,715	169,557	2,989,879	3,159,436
지급수수료	43,791,046	70,777,162	114,568,208	37,426,693	68,035,973	105,462,666
기타	116,950,284	73,539,212	190,489,496	103,751,958	66,548,021	170,299,979
합계	1,319,646,147	472,300,212	1,791,946,359	1,253,268,214	448,425,693	1,701,693,907

오리온의 사업보고서 주석 中

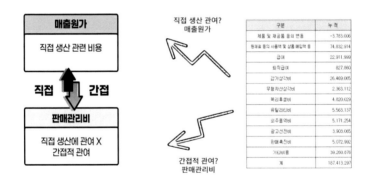

간혹 위 오리온처럼 비용의 성격별 분류에서도 매출원가와 판매관리비를 구분해서 보고하는 친절한 기업도 있답니다.

심 화 2) 비용분석법. 수영복 판매회사 「배럴」의 손익분기점은?
 비용을 크게 구분하자면 2가지. 변동비와 고정비로 분류할 수 있습니다.
·변동비란 기업의 생산활동에 비례하여 증감하는 비용을 나타내고,
 ·고정비는 기업의 생산활동에 관계없이 꾸준히 발생하는 비용을 의미합니다.

구분	23년 반기	2022	2021
재고자산의 변동	-5,595,130	-801,200	5,565,401
재고자산의 매입	13,062,657	16,347,249	5,208,590
종업원급여	1,823,314	4,513,817	4,121,393
복리후생비	101,727	289,120	331,467
감가상각및무형자산상각	587,563	1,703,328	1,884,065
판매수수료	6,242,471	9,045,705	4,207,876
운반비	54,141	270,384	262,552
지급수수료	608,160	2,061,608	1,293,063
광고선전비	1,426,137	3,590,726	3,051,417
외주비	889,335	1,868,926	1,102,613
기타	1,732,838	3,475,442	2,215,539
매출원가, 판매비와 관리비 합계	20,933,213	42,365,105	29,243,976

배럴의 3개년 비용의 성격별 분류 정리

 위 자료는 국내 수영복 판매회사인 배럴의 비용을 정리한 표입니다.

배럴은 수영복 "판매" 회사로 수영복을 디자인하여 생산자에게 주문 생산을 위탁한 후 제품을 받아 판매하는 회사죠.

배럴이 수영복 제조회사에 제조 주문을 하고 완제품을 수령받으면 이를 "재고자산의 매입"으로 표기합니다. 그리고 각종 백화점이나 대형마트의 판매점에서 판매를 한 뒤 백화점에 다시 수수료*를 지불하는 것을 "판매수수료"라고 합니다.

그럼 결과적으로 재고자산(수영복)의 생산과 관련된 비용과 판매수수료는 배럴이 제품을 판매하는 양에 따라 달라지겠죠? 이들은 변동비입니다.

구분	23년 반기	2022	2021
재고자산의 변동	-5,595,130	-801,200	5,565,401
재고자산의 매입	13,062,657	16,347,249	5,208,590
종업원급여	1,823,314	4,513,817	4,121,393
복리후생비	101,727	289,120	331,467
감가상각및무형자산상각	587,563	1,703,328	1,884,065
판매수수료	6,242,471	9,045,705	4,207,876
운반비	54,141	270,384	262,552
지급수수료	608,160	2,061,608	1,293,063
광고선전비	1,426,137	3,590,726	3,051,417
외주비	889,335	1,868,926	1,102,613
기타	1,732,838	3,475,442	2,215,539
매출원가, 판매비와 관리비 합계	20,933,213	42,365,105	29,243,976

배럴의 3개년 비용의 성격별 분류 정리

한편 급여, 복리후생비, 감가상각비 등은 고정비 성격에 가까워요. 배럴이 수영복 판매량이 줄어든다고 해서 갑자기 직원들을 정리해고할 순 없어요.(장기적으론 가능하겠지만)

거기에 수영복이 안 팔린다고 해서 현재 사용하는 건물의 감가상각비가 줄어들지도 않아요. 수영복이 팔리든 말든 건물의 감가상각비는 계속 발생하거든요.

구분	23년 반기	2022	2021
추정 고정비	8,490,884	9,981,707	8,552,464

그럼 고정비를 추정해볼까요? 급여, 복리후생비, 감가상각비, 기타 비용을 고정비라고 보고 계산해보면 배럴의 연환산 고정비는 대략 85억에서 99억 사이입니다.

배럴은 연 100억 정도는 벌어야 직원들 월급주고 건물 유지는 할 수 있는 셈이죠.

그런데 문제는 배럴이 연 100억을 벌어도 변동비를 제외한 매출이 100억이어야 한다는 것이지 순수 매출액만 100억을 벌면 변동비가 빠지기 때문에 고정비를 모두 지출할 수 없습니다. 결국 변동비를 지출하고도 100억 + 알파가 남아야 배럴은 이익이 축적될 수 있는 구조인 셈이죠.

개인적으로 이렇게까지 분석을 해야 할 기업이라면 애초에 피하는 것이 좋다고 생각하는 편이에요. 물론 그 기업의 초반부터 성장을 같이 한다는 게 개인 개미로서는 가장 수익을 최대화하는 것일

수 있겠지만, 그게.. 굉장히 힘들고 어려운 일이거든요..

투자자 입장에서의 금융손익

✓ 금융손익 중 이자비용 체크는 필수

(재무상태표 차입금 편에서 이어서..)

✓ 외화환산,외환손익은 딱히 신경 안 쓰는 편..

→ 해외 사업을 하는 기업 입장에서 피할 수 없는 비용이니

굳이 신경쓰진 않음.

[재무제표 분석하기] 5편. (손익계산서) 지분법손익
(중요도 떨어짐)

지분법손익

지분법손익은 한 기업이 다른 기업의 주식을 조금 많이(20% 이상) 갖고 있을 때 혹은 주식은 많이 갖고 있지 않아도 그 회사 경영에 입김 좀 불어넣을 수 있을 때 발생합니다.

예를 들면 오리온이 롯데제과의 주식을 20% 갖고 있다고 합니다. 롯데제과의 당기순이익이 100억을 기록했다면, 오리온은 지분법이익으로 20억원을 기록하게 됩니다.

만약 위의 사례에서 롯데제과가 당기순이익도 100억원 기록했는데, 배당도 50억원(오리온 입장에서는 20% 지분이니 10억원을 받겠죠?) 지급한다면, 오리온 입장에서는 배당금 수익도 기타수익으로 넣어야 하고, 지분법 이익도 기록해야 하니 중복이 발생합니다.

그래서 배당 10억원은 배당금 수익으로 기타 수익에 기록하고, 지분법이익은 10억 (본래 지분법 이익 20억 - 배당금수익 10억)으로 기록을 하게 됩니다.

※ 지분법 대상이 되는 기업, 그 주식을 관계기업이라고 하고 하며, 이는 재무상태표의 자산부분에서 확인해보실 수 있습니다.

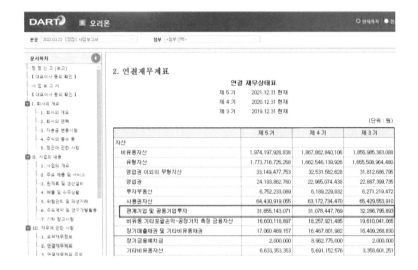

심 화) 지분법이익에 대한 분석 방법

 사실 지분법 이익이 정확히 어떻게 계산되고 얼마인지에 집중하기보다는,

 투자자 입장에서 지켜볼 점은, 내가 분석하는 회사가 적절한 투자의사 결정을 하고 있는지, 피투자회사의 실적이 괜찮은 것인지인데,

 기업 입장에서 20%이상의 지분을 취득한다는 것이 그냥 아무 회사나 하는 것이 아니라, 자신의 사업과 관련이 있는 기업에 영향력을 발휘하기 위한 것일 가능성이 많습니다.

 기업이 타기업에 투자를 하는 것과, 개인 투자자가 기업에 투자하는 것은 관점이 다릅니다. 기업은 자신의 사업과 비슷한 업종 또는 기술을 갖고 있는 스타트업에 투자할 수도 있고 자연히 그런 기업의 이익은 안 좋을 가능성이 있습니다. 이럴 경우 지분법손실로 기록된 부분을 기업의 장기적인 목표 하에서 이뤄진 적절한 의사결정이라고 평가해야 할까요? 아니면 무조건 적자난 기업에나 투자하는 무지한 기업으로 평가해야 할까요? 여기에 정답은 없습니다. 하지만 제 개인적인 생각으론 기업의 미래를 생각했을 때, 그리고 관계기업의 정의(장기간 보유)를 생각했을 때는 당장의 이익보단 실패를 감수하더라도 충분히 가능성이 있는 여러 기업들을 관계기업화하고 앞으로의 성장 동력의 가능성으로 사용하는 편이 좋아보입니다.

※ 지분법 대상 기업(피투자대상 기업)이 어디인지 확인은?
관계기업 투자는 재무제표 주석 사항에서 확인할 수 있습니다. 예시로 삼성전자는 2023년 3분기 기준 관계기업으로 삼성전기 등 5개 기업의 지분율 20%이상을 보유하고 있으며 대부분 그룹 내 기업들로 확인됩니다.

투자자 입장에서의 지분법손익

✓ 지분법손익의 금액 자체는 신경 안 씀.
✓ 대신 어느 기업들을 관계기업으로 투자하고 있는지, 시너지 효과가 있는지, 기업이 어떤 방향으로 가고자 하는 지를 간접적으로 확인.

※ 지분법손익은 어디에?

☞ 지분법손익은 보통 영업이익과 당기순이익 사이에서 찾으실 수 있습니다.

손익계산서

매출액	초코파이 매출량 * 판매가
매출원가	초코파이 원재료, 인건비 등
매출총이익	매출액 - 매출원가
판매관리비	생산직원 외 인건비, 광고비 등
영업이익	매출총이익 - 판매관리비
기타손익	외환차익, 임대손익 등
금융손익	예금 이자, 배당수익 등
지분법손익	많이 투자한 회사의 당기순이익
법인세비용	법인세 세금
당기순이익	영업이익 - 기타손익 - 금융손익 - 지분법손익 - 법인세

by 현명한 직장인

손익계산서의 사실상 마지막 단계인 당기순이익입니다.

매출액과 더불어 모든 증권사가 분석하는 기업의 실적의 가장 중요한 자료일 뿐 아니라 기업 가치의 기준점이 되는 자료이기도 합니다.

말은 거창하지만 사실 당기순이익은 앞서 봤던 자료들을 차례대로 빼준 것에 불과합니다.

오리온의 예를 들어 다시 요약해보자면,

시작!

예시) 초코파이 판매량 10박스, 박스당 판매가 1,000원일 경우 매출액은 10박스*1,000원=10,000원

매출액 : 판매량 * 판매단가. 10box * 1,000원 = 10,000원

(-) 매출원가 : 초코파이를 만드는 데 들어간 직접비용 (4,000원)

예시) 인건비와 원재료비, 공장 운영비용(전력비, 상수도비) 등

(-) 판매관리비: 초코파이를 생산, 판매하는 데 들어간 간접비용 (1,000원)

예시) 광고비, 직원복리후생비, 접대비, 생산직원 외 인건비 등

(+)(-) 기타손익 : 본업 이외 기타로 발생한 손익 +1,000원

예시) 오리온이 갖고 있던 달러가 환율 증감으로 손익이 생길 때, 갖고 있던 건물을 임대하여 발생한 임대소득 등

(+)(-) 금융손익 : 금융 관련된 손익 (500원)

예시) 이자소득, 배당소득, 오리온이 갖고 있던 주식, 채권 가격 변동했을 때 발생하는 변동손익(안팔고 가격만 변동하고 있을 때) ,또는 팔았을 때 발생하는 처분손익(팔았을 때)

(+)(-) 지분법손익 : 회사가 많이 투자한 그 피투자회사의 당기순이익(당기순손실) +2,000원
예시) 오리온이 해태제과 주식을 많이(20%) 갖고 있는데 해태제과의 당기순이익이 100억일때, 지분법이익은 20억을 계상
★당기순이익 : 10,000 - 4,000 - 1,000 + 1,000 - 500 + 2,000 = 6,500원

매출액에서 시작하여 차감되는 비용들, 수익들을 비교하여 그 결과 당기순이익이 (+) 이면 당기순이익으로, (-)이면 당기순손실로 기록하게 됩니다.

당기순이익이 중요한 이유는 세계 어느 기업이든, 당기순이익의 정의는 변동이 없다는 사실입니다. 오리온을 예시로 들었지만, 어떤 기업은 매출액이 아니라 영업수익으로 기재하고 그 외 비용은 영업비용으로 계상하며, 그 차감한 값을 영업이익으로, 또 서비스 기업은 서비스 수익 - 서비스 비용을 영업이익으로 분류하기도 합니다.

그러나 결국엔 그러한 이익들에서 위의 기타손익이나 금융손익 등을 가감하여 "당기순이익"이라는 항목을 위와 같은 방식으로 계

산하기 때문에 세계 어디서든 표준화된 기업 실적의 척도로 사용할 수 있습니다.

심 화 1) 당기순이익률과 영업이익률

당기순이익률은 당기순이익/매출액 의 비율을 의미합니다.

당기순이익률이 높다는 말은 매출액에서 차지하는 비용의 비중이 그만큼 낮아 수익성이 높음을 의미하며, 당기순이익률을 영업이익률과 비교해보면,

영업이익률> 당기순이익일 경우 그만큼 그 사이의 요소들, 즉 기타손실과 금융손실 등이 많이 발생하였음을 알 수 있고 반대로 영업이익률<당기순이익률일 경우 기타수익이나 금융수익 등이 더 발생하였음을 알 수 있습니다.

심 화 2) EPS, PER의 계산

당기순이익은 EPS(주당순이익)를 계산하는 자료로 사용됩니다.

주당순이익은 말 그대로 1주당 기업의 당기순이익이 얼마인지를 나타냅니다. 예를 들어 오리온의 주식수가 100,000 주이고 당기순이익이 1,000,000원이라면 주당순이익은 1,000,000/100,000 이므로 10입니다. 즉 1주당 10원의 이익을 벌어들이고 있다는 의미입니다.

이러한 EPS의 개념은 우리가 가장 많이 듣고 있는 PER의 개념과

이어집니다. PER은 1주당 주가 / 주당순이익(EPS)입니다.

$$\text{주당순이익 (EPS)} = \frac{\text{당기순이익}}{\text{유통 보통 주식수}}$$

$$\text{PER} = \frac{\text{1주당 주가}}{\text{EPS}}$$

$$\text{PER} = \frac{\text{시가총액}}{\text{당기순이익}}$$

by 현명한 직장인

  예를 들어 오리온의 주가가 주당 100원이고 주당순이익이 10원이라면 PER은 10으로 계산됩니다.

  그런데 이를 풀어서 보면 주가는 시가총액 / 총 주식수 이고, EPS는 당기순이익 / 총 주식수 이기 때문에 PER은 시가총액 / 당기순이익 으로도 풀어서 확인할 수 있습니다.

심 화 3) PER에 대한 고찰

  그럼 PER가 10이라는 건 어떤 의미일까요?

  PER가 10이란 의미는 현재 당기순이익의 수준으로 현재 시가총액(주식 총 시세)를 모두 벌기 위해서 10년이라는 기간이 걸린다는 의미입니다.

황금알이 100원이면
거위는 얼마에 사야 할까?

황금알: 100원

1년 당기순이익: 100원

이 기업의 가치는 얼마일까?

황금알을 낳는 거위를 황금알 가격의 몇 배 금액에 사야하는가에 대한 비교가 PER의 의미라고도 하는데요,

이를 주식에 대입하면 지금 주가를 기준으로 기업이 영업을 하여 시가총액을 벌려고 한다면 10년을 기다려야 한다는 의미이죠. 지금의 주가는 기업의 10년의 순이익을 기대하고 형성되어 있으며, 이는 그 주식을 사는 사람들은 현재 기업이 향후 10년간은 이정도 순이익을 벌 수 있다는 기대를 가지고 투자를 하고 있다고 볼 수 있습니다.

그런데 여기에 반전이 있어요. 바로 당기순이익이 꾸준히 증가하고 있는 기업입니다. 이런 기업은 만약 주가가 크게 변하지 않고 계속 현재와 비슷한 수준이라면 PER가 지속적으로 낮아지는 효과를 기대해 볼 수도 있습니다.

물론 시장은 이 효과까지 반영하여 주가를 형성하고 있고 이미 주가, PER에 반영되어 있다는 소위 "진리의 킹반영"이 있을 수도 있겠죠.

심 화 4) PER 계산식은 어떤 것으로 봐야할까?

위 설명에서 PER은 1주당 주가 / 주당순이익 또는 시가총액 / 당기순이익 으로 확인하였습니다.

개인적으로 PER는 1주당 주가 / 주당순이익이라는 본래의 정의에 맞게 분석해봐야 한다고 생각합니다. 왜냐면 그래야 재무제표를 한 번이라도 더 살펴볼 수 있기 때문이죠..^^;

PER의 급격한 변동은 주가의 변동(주식시세의 변동) 또는 주당순이익의 변동(기업 재무제표상의 변동) 둘 중 하나입니다. 주가의 변동은 눈으로 확인이 되지만, 주당순이익의 변동은 주식수의 변동인지 당기순이익의 변동인지를 확인해야 하는 작업이 필요합니다. 이 과정에서 기업이 어떤 의도를 갖고 기업활동을 하고 있는지 간접적으로는 확인을 할 수 있다는 점은 덤이구요..

현직's 칼럼) 영업이익 VS 당기순이익

영업이익이 기업의 외실이라면 당기순이익은 기업의 내외실을 포함합니다.

In Pixabay by Elias

사람에 비교해보면, 영업이익은 겉모습입니다.

울퉁불퉁한 근육의 멋진 몸매를 가진 남자를 영업이익이 좋은 기업에 비교한다면, 그 남자는 상시 비염에 아토피, 장염을 겪고 있을 수도 있으나, 겉으로 본다면 멀쩡한 근육질의 남자로 볼 수 밖에 없죠.

당기순이익은 기업의 그런 내면의 모습까지 상세하게 보여줍니다.

물론 기업을 판단할 때 기업의 순수 본업의 활동 그 자체를 관찰하기 위해선 영업이익을 분석하는 것이 맞지만,

기업이 영업활동 외에 부수적인 투자활동, 피할 수 없는 외환거래 손익 등도 장기로 보면 결국 기업 경영자의 경영 중 하나이고, 명백히 발생한 수익과 비용들입니다.

매년 발생하진 않지만, 2~3년에 한번씩 발생하는 상각비, 투자자산평가손익을 기업의 본질에서 제외시켜야 할까요?

그 기업을 3년이라는 기간 안에 한정하면 일회성 손익일 뿐이지만, 10년, 20년의 기간에서 보면 이 또한 결국 기업이 선택한 경영의 결과이고 그 기업을 이루고 있는 결과물들입니다.

거기에 우리가 영업이익에만 치중한다면, 기업들은 영업이익만을 좋게 포장할 수 있는 회계적 처리 방법들이 있어요. 이런데도 우리가 영업이익만을 중시하고 당기순이익을 무시할 수 있을까요?

> ### 투자자 입장에서의 당기순이익
>
> ✓ 해당 기업의 당기순이익과 영업이익의 차이를 이루는 기타손익, 금융손익은 무엇인가?
> ✓ 위 요소는 주기적인지, 아니면 일시적 손익인지,
> ✓ 결과적으로 영업이익과 당기순이익의 차이가 비슷한 금액으로 매년 유지 중인지? (차이가 적고 큰 편차가 없을수록 안정적으로 판단)

감가상각비

감가상각비.. 말을 너무 어렵게 만들었는데 한마디로 표현하자면, "건물, 기계장비 등 유형자산이 사용되고 세월이 지나며 마모되는 부분을 회사 입장에서 비용"으로 인식하는 것을 말합니다.
(토지는 감가상각을 하지 않습니다. 왜냐면 "소모"되지 않기 때문이죠.)

회계학에서는 '수익-비용의 대응 원칙' 이런 말을 사용하고 있지만, 우리가 회계학 시험을 볼 것이 아니기 때문에 생략하겠습니다. (우리는 회계학이 아니라 투자를 하기 위해 재무제표를 보고 있으니까요.)

대신 쉬운 예로 자동차를 살펴보면, 회사 입장에서는 화물차를 100만원에 주고 샀습니다. 회사는 차를 10년 정도 타고 폐차할 계획을 갖고 있어요.

합리적으로 생각한다면, 회사는 10년간 차를 탄다고 예상했고, 그 말은 10년 간 화물차가 점점 수명을 다해간다는 말이며 이를 위해 자동차가 마모되는 부분을 비용으로 인식해야 합니다.

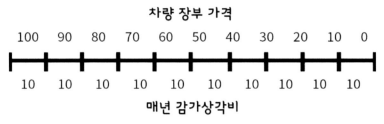

차량 장부 가격

| 100 | 90 | 80 | 70 | 60 | 50 | 40 | 30 | 20 | 10 | 0 |

| 10 | 10 | 10 | 10 | 10 | 10 | 10 | 10 | 10 | 10 |

매년 감가상각비

그래야 10년 후에 자동차의 금액이 0원이 되거든요.

결론적으로 회사는 매년 감가상각비를 10만원씩 비용으로 인식하고, 그 10만원을 최초 화물차를 취득했던 100만원에서 까내려갑니다.

매년 감가상각비를 비용으로 인식하면서 차량의 가격은 마지막 10년차에는 계획했던 0원 (폐차시 회사가 예상한 차량의 가치)으로 도달하게 됩니다.

※ 감가상각의 방법은 위처럼 정액법도 있고, 그 외 정률법 등도 있으나 많은
기업들이 정액법을 사용하고 있고, 투자시 분류의 큰 의미가 없기에 정액법만을 가정하여 설명드립니다.

심 화) 감가상각비의 구분

Q&A

감가상각비는 매출원가일까 판매관리비일까?

제품의 직접적인 생산에 기여한 유형자산(건물, 기계장비 등)이라면 매출원가로, 그게 아니라면 판매관리비에 포함된답니다.

Q&A

감가상각을 하는 와중에 팔게 되면?

(유형자산 처분 이익과 처분 손실)

위의 예에서 자동차를 6년차에 70만원에 판다고 가정해볼게요. 6년차에 회사가 계산하고 있는 자동차의 금액은 50만원입니다. (최초 취득원가 100만원 - 감가상각누계액 50만원) 그런데 70만원에 팔게 되었으니, 기업 입장에서는 본인들 장부에 50만원으로 인정하고 있던 자동차를 70만원에 파는 셈이고 차액 20만원은 유형자산처분이익(기타이익)으로 기록하게 됩니다.

※ 감가상각 내용연수(감가상각할 기간) 확인은?

☞ 사업보고서 → 연결재무제표 주석 → "내용연수"로 검색해보시면 회사가 각 유형자산별로 내용연수를 얼마나 추정해놓고 있는지를 확인해볼 수 있습니다.

손상차손

손상차손은 해당 자산의 가치가 급격히 떨어졌을 때 비용처리해주는 것을 의미합니다. 기업회계기준서에 여러 원인을 이유로 그 정의를 내리고 있지만 결론적으로는 그 자산의 값어치가 떨어졌다고 판단하면 비용처리하는 것이에요. 아마 투자자분들이 가장 많이 볼 손상차손은 대부분 유형자산이나 무형자산(특히 영업권)일 거에요.

기업이 인식하고   앞으로 기대되는
    있는 가격   사용가치
: 1,000,000원   : 300,000원 (고철값)

손상차손: 700,000원

여러 가지 유형의 손상차손

· 매출채권 손상차손 : 매출채권 100원보다 덜 받게 될 것으로 인식할 때

· 유형자산 손상차손 : 100원짜리 기계인 줄 알았는데 10원일 때

· 무형자산 손상차손 : 영업권의 가치가 100만원인줄 알았는데 0원일 때

· 금융자산손상차손 : 100원짜리 채권이었는데 0원이 됐을 때

사실상 기업이 인식하고 있는 모든 자산은 손상차손의 대상이 될 수 있답니다. 이 부분의 자세한 내용은 각 자산에 대해서 살펴볼 때 언급하겠습니다.

실전 사례) 유통공룡 순손익 휘젓는 범인은 '손상차손'

유통공룡 순손익 휘젓는 범인은 '손상차손'

박수지 기자 +구독

······ 중략 ······

8일 롯데쇼핑은 연간 손상차손 규모가 2019년 1조2334억원에서 2020년 8908억원으로 줄었다고 밝혔다.

손상차손이란 회사가 보유 중인 유·무형자산의 가치가 장부가격보다 떨어졌을 때, 이를 회계에 손실과 비용으로 반영하는 것을 가리킨다.

예를 들어 보유한 자산의 장부가는 100억원이지만, 자산을 평가했을 때 회수할 수 있는 현금흐름이 70억원밖에 되지 않는다면 30억원을 비용으로 처리해야 하는 것이다.

'기업이 최초로 매입하고 매년 감가상각을 해온 결과 현재 100억원인데, 실제 그 자산이 미래에 돈을 벌어다 줄 것으로 예상되는 금액이 70억원. 그렇다면 30억원을 손상차손이라는 비용으로 인식하고 자산의 장부금액을 줄여 준 것입니다.'

이전까지는 기업이 임차료를 그때그때 비용으로만 처리하면 됐다.

그러나 2019년부터 새 회계기준이 적용되면서 '리스'(임대)는 자산과 부채로 인식해야 한다. 가령 롯데쇼핑이 10년간 건물을 빌리는 계약을 하면 해당 기간의 임차료는 '부채'가 되고, 대신 건물해

입점해 사용권을 얻기에 '사용권자산'으로 회계상 인식된다. 그러나 점포 주변의 개별적 환경이든 오프라인 유통의 위기라는 구조적 요인이든 평가했을 때 현금흐름이 자산에 미치지 못하면 비용으로 쌓이게 되는 것이다.

= '롯데마트 건물애 대해 향후 10년간 계약을 하고 사용권자산으로 자산처리하였으나 그 기간 동안 예상 수익이 생각했던 것보다 더 적을 것'이라고 롯데쇼핑은 판단한 것입니다.

풀이하면, 롯데쇼핑의 경우 2019년엔 부실 점포의 가치가 1조원 넘게 떨어졌다는 의미도 된다. 물론 회계기준 변경 탓에 실제 현금 유출이 아닌 장부상 손실 평가라고 볼 수도 있지만 롯데쇼핑의 적자 점포가 그만큼 많다는 뜻으로, 그대로 내버려두면 수익성의 발목을 잡을 게 뻔했다. 롯데쇼핑이 지난해 마트·슈퍼 등 부실 점포 119곳의 문을 닫는 등 대규모 구조조정에 박차를 낸 진짜 이유다. 이에 롯데쇼핑의 2019년 손상차손 중 이런 자산 손상은 1조780억원에서 2020년엔 6319억원 규모로 줄었다. 롯데쇼핑 관계자는 "지난해 부실 점포 구조조정 효과가 순손실 감소 영향에 절대적이었다"고 설명했다. 롯데쇼핑은 올해도 부실 점포 70여 곳을 추가로 폐점한다는 계획이다.

 – 이상 출처: 2021.02.09. 한겨레 "유통공룡 순손익 휘젓는 범인은 '손상차손'

※ 손상차손 확인하는 방법은?

손상차손은 보통 기타비용으로 인식하고 있습니다. 재무제표 주석
사항에서 손상차손을 검색해보시면 찾으실 수 있습니다.

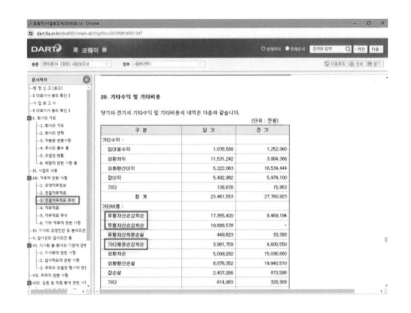

투자자 입장에서의 손상차손

✓ 손상차손이 주기적으로 발생하진 않는지?

✓ 유무형자산의 주기적 손상차손은 기업이 영업자산을 비효율
적으로 운영하고 있다는 증거

✓ 영업권의 손상차손 유무 (재무상태표 무형자산 영업권 편에
서 추후 분석)

손익계산서

매출액	초코파이 매출량 ✳ 판매가
매출원가	초코파이 원재료, 인건비 등
매출총이익	매출액 ─ 매출원가
판매관리비	생산직원 외 인건비, 광고비 등
영업이익	매출총이익 ─ 판매관리비
기타손익	외환차익, 임대손익 등
금융손익	예금 이자, 배당수익 등
지분법손익	많이 투자한 회사의 당기순이익
법인세비용	법인세 세금
당기순이익	영업이익 ─ 기타손익 ─ 금융손익 ─ 지분법손익 ─ 법인세

by 현명한 직장인

지금까지는 재무제표(재무상태표, 손익계산서, 자본변동표, 현금흐름표) 중 손익계산서에 해당하는 부분은 끝났습니다.

최대한 회계학을 공부해보지 않은 분들의 입장에서 풀어써보려고 했는데, 그래도 혹여나 더 궁금한 부분이 있지 않을까 해서 손익계산서 분석 마지막으로 Q&A를 나름 정리해보았습니다.

Q&A (1)

매출액 중에.. 신용카드로 결제한 부분은 어떻게 될까?

신용카드 승인일(대부분 긁은 날)에 매출로 인식됩니다. 이 후 신용카드 매출 부분을 현금으로 받느냐는 재무상태표에서 확인할 사안이에요.

Q&A (2)

신용카드 말고 외상으로 매출해준 뒤 돈을 떼인다면? 매출이 감소하나?

매출로 인식된 부분은 변동없습니다. 대신 기업들은 외상으로 팔고 떼일 것까지 미리 예상하고 회계처리를 한답니다. 이를 대손처리라고 하고 이 부분은 재무상태표에서 살펴볼 예정입니다.

사업보고서를 보면 매출총이익이 없는 기업도 있는데?

기업별로 매출액 - 매출원가 - 판관비 = 영업이익으로 보고하는 기업도 있고, 서비스 수익 - 서비스 비용 = 영업이익으로 보고하는 기업도 있습니다.

대부분 전자의 방식으로 보고하지만, 은행이나 서비스 기업 등 뚜렷한 생산시설 없이 매출을 발생하는 기업들은 다른 방식으로 보고하기도 합니다. 하지만 영업이익, 당기순이익부터는 일반적인 기업과 비슷한 방식으로 보고합니다.

매출원가의 구성요소를 보고 싶다면?

대부분의 기업들이 매출원가를 예민하게 생각해서인지, 매출원가의 구성 요소를 일일이 사업보고서 주석 등에 보고하는 기업이 많지 않습니다.

다만 대략적으로 계산하는 방법은 있습니다. 이는 주석 사항에서 "비용의 성격별 분류" 부분과 "판매비와관리비" 부분을 비교하여 추정하는 방법입니다. 우리나라 DART의 사업보고서 재무제표 주석에 보면 대부분 "비용의 성격별 분류"를 보고하고 있습니다. <다음 참고>

<다 음>

재무제표 주석(리노공업은 종속기업이 없어 연결재무제표가 없습니다.)에서 검색란에 "비용의"라고 쳐서 검색하다 보면 비용의 성격별 분류를 확인해볼 수 있습니다.

비용의 성격별 분류는 매출원가+판관비에 대해 성격별로 분류해 놓은 항목입니다. 따라서 이를 활용해서 판매비와 관리비 항목과 비교를 해봅니다.

구분	당기	전기
상품매출	2,705,922	2,609,628
합 계	280,166,833	201,335,459

20. 판매비와관리비

당기와 전기 중 발생한 판매비와관리비의 내역은 다음과 같습니다.

(단위 : 천원)

구분	당기	전기
급여	10,132,780	7,513,378
퇴직급여	366,795	354,577
복리후생비	499,124	419,136
여비교통비	61,588	46,892
통신비	71,673	66,192
수도광열비	21,604	6,121
세금과공과	624,178	586,093
소모품비	26,699	16,957
보험료	9,612	13,749
수선비	58,190	3,004
접대비	120,064	125,537
지급수수료	662,343	519,112
차량유지비	93,794	79,811
도서인쇄비	8,131	11,389
감가상각비	372,669	372,440
운반비	388,433	275,465

마찬가지로 주석에서 "판매비"라고 검색해보면 판매비와관리비를 확인해보실 수 있습니다. 대부분의 기업들이 판매비와 관리비는 그 상세내역을 보고하고 있어요. 그럼 이 판매비와 관리비, 그리고 비용의 성격별 분류 부분을 비교해봅니다.

급여를 예를 들어보면, 비용의 성격별 분류에는 당기의 종업원급여가 60,227,190천원인데, 판매비와 관리비에서 발생한 급여는 10,132,780천원입니다. 그럼 차액이 약 50,000,000천원인데, 이 금액은 매출원가에 포함되는 급여로 추정해볼 수 있습니다.

왜냐면 성격별 분류로 봤을 때 총 급여는 60,227,190천원이고 판관비에서 급여 10,132,780원이니, 그럼 나머지 급여는 어디로 들어갈까요? 기업의 비용에는 1. 매출원가 2. 판관비 3.기타비용 4.금융비용 크게 4가지 분류인데, 급여가 들어갈 만한 곳이 매출원가밖에 없거든요..

Q&A (5)

연구개발비에 대해서

중견기업 이상으로 올라가게 되면 비용에서 연구개발비가 차지하는 비중이 점점 높아지게 됩니다. 사실 연구개발비도 중요한 대상이에요. 개발비는 대부분 판관비로 분류하고 있어요. 그런데 지출한 개발비를 비용이 아니라 자산으로 바꿔버리는 경우도 있답니다. 이 부분은 재무상태표 부분에서 살펴보겠습니다.

제품 생산에 들어간 원재료의 가격을 알고 싶어요.

21년도부터 DART 사업보고서에 대대적인 변화가 있었습니다.

바로 좌측 사업의 내용 부분을 세분화한 것인데요. 예전에는 "사업의 내용"안에 모두 합쳐져 있던 내용들을 주제에 따라 1. 사업의 개요 2. 주요 제품 및 서비스 3. 원재료 및 생산설비 등으로 나누어 보고하고 있어요.

여기서 원재료 및 생산설비 부분을 선택하여 보면 해당 기업의 생산 제품에 들어가는 원재료에 해당하는 부분을 확인할 수 있습니다. 다만 이것 또한 기업의 선택이기 때문에 주요 원재료 등은 표기되지 않을 수 있습니다.

※ 주석사항에 없는 사항은 사업의 내용 부분에서도 확인해볼 수 있습니다.

지금까지는 재무제표(재무상태표, 손익계산서, 자본변동표, 현금흐름표) 중 손익계산서에 해당하는 부분은 끝났습니다.

재무상태표

자 산	부 채
유동자산	유동부채
현금 및 현금성자산 단기금융상품 매출채권 재고자산	단기차입금 매입채무 미지급금 선수금 미지급비용
비유동자산	비유동부채
유형자산 무형자산 관계기업투자 비유동 금융자산	장기차입금
	자 본
	생략

by 현명한 직장인

이제 재무제표 중 재무상태표에서 확인해보도록 하겠습니다.

손익계산서에서는 그나마 용어에서 큰 어려움은 없었지만, 재무상태표에서는 어쩔 수 없이 계정과목, 즉 재무제표에서 사용하는 개별 항목들의 용어에 대해 설명을 할 수 밖에 없습니다.

그러다보니 어쩔 수 없이 지루한 부분이 있을 수 있지만..ㅜㅜ 그래도 최대한 실생활과 밀접한 예를 들어 설명해보도록 하겠습니다.

자 산

ˌ자산이란 결산일 기준(보통 12월 31일) 과거에 산 것으로 지금 갖다팔면 돈을 받을 수 있거나(=현금화), 내다 못팔더라도 나중에 돈을 벌 수 있게 해줄 수 있는 것입니다. 참고로 손익계산서는 1월1일부터 12월31일까지 기간을 계산한다면, 재무상태표는 12월 31일 그 하루를 기준으로 해당 기업의 자산과 부채를 표시하고 있습니다.

자산은 다시 유동자산 / 비유동자산으로 구분됩니다.

·유동자산 : 결산일 기준으로 1년 이내 내다 팔 수 있는 것

  예) 현금,예금은 이미 현금화되어 있으므로 당연히 유동자산입니다.

· 비유동자산 : 결산일 기준으로 1년 이후에 내다 팔 수 있는 것입니다.

  ex) 만기 3년짜리 적금은? 3년 후에 현금화 할 것이므로 비유동자산입니다.

부 채

부채는 결산일 기준으로 회사가 남에게 갚아야 할 빚이나 또는 이행해야 할 의무를 의미합니다.

부채 또한 자산과 같이 유동부채 / 비유동부채로 구분됩니다.

· 유동부채는 결산일 기준으로 1년 이내 갚아야 할 부채이며,

　예) 1년 이내 만기가 되는 차입금

· 비유동부채는 결산일 기준으로 1년 이후에 갚아야 하는 부채입니다.

　예) 1년 이후 만기가 되는 차입금

자 본

자본 = 자산 - 부채 입니다. 항등식이기 때문에 자산 부채가 어찌됐든 자본은 항상 자산 - 부채입니다.

그 외 나머지 자본에 대한 부분은 생략하도록 하겠습니다.

세무, 회계학을 공부하는 사람이 아닌, 일반 투자자로서 과연 자본에 대해 큰 의미를 둬서 분석해봐야를 생각해봤는데.. 일단은 저는 아니라고 결론 내렸습니다.

투자자 입장에선 회사의 자산, 부채의 구성이 어떻게 되어 있고, 매출액과 비용 등의 구조나 이익 증감률 등이 더 중요한 것으로 판단할 수 있고, 자본의 개별 항목보단 주식수의 증감 현황을 세밀하게 알려 줄 수 있는 재무제표인 자본변동표를 간단히 공부해보

는 것이 좋을 것으로 생각하고 과감히 생략하고 넘어가 보겠습니다.

※ 재무상태표 검색하는 방법

1. 먼저 검색해보고 싶은 회사를 검색하고,

2. 몇년치의 보고서를 보고싶은지 선택.

3. 공시유형에 정기공시 부분(체크 박스 말고 글자를 클릭)클릭하면 아래 정기공시 부분이 나옵니다

4. 사업보고서(1년), 반기보고서(6개월), 분기보고서(3개월) 중 보고 싶은 것을 선택하여 "검색"

5. 위와 같은 화면에서 왼편에 "연결재무제표" 클릭

6. 여기서 재무상태표 및 손익계산서, 자본변동표, 현금흐름표를 확인해보실 수 있습니다.

[재무제표 분석하기] 11편. (재무상태표) 현금, 금융자산

현금 및 현금성자산

현금은 말 그대로 현금을, 현금성자산은 3개월 이내 현금화할 수 있는 자산을 의미합니다.

Q&A

· 자유롭게 입출금할 수 있는 통장의 예금은?

→ 현금성자산(○)

· 만기가 보고기간말(12월31일) 기준 3개월 이내 도래하는 채권은?

→ 현금성자산(○)

· 만기가 보고기간말 기준 4개월 이내 도래하는 채권은?

→ 현금성자산(X), 금융자산(O)

금융자산

금융자산은 회사가 주식처럼 시세차익을 위해 보유하거나 또는 채권처럼 이자를 수취하기 위해 갖고 있는 자산을 말합니다.

그런데 이러한 금융자산을 유동/비유동, 평가손익의 구분에 따라

각종의 복잡한 단어 조합들이 등장하게 됩니다. 이를테면 비유동 기타포괄손익-공정가치 측정 금융자산이라든지, 유동 당기손익-공정가치 측정 금융자산이라든지 말이죠.

하나하나 뜯어보면 이해할 수 있으나, 투자자 입장에서 중요한 부분은 "회사가 이 정도 규모로 주식 또는 채권을 보유하고 있구나." 정도로 파악하여야 하고,

더 중요한 부분은 우리 투자자 입장으로 회사가 올바른 투자 결정을 하고 있나를 확인해야 합니다.

Tip

> 대부분의 회사들은 우리 개인 투자자들처럼 투자의 결과를 본인 스스로 책 임지는 것이 아니기 때문에 보수적인 투자, 즉 채권에 투자를 많이 하는 모습을 보입니다. 따라서 평가손익이나 처분손익의 규모가 적고 이자수익이 많은 편이에요.

※ 현금및현금성자산, 금융자산 확인하는 방법

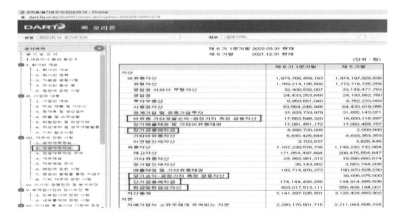

"연결재무제표"에서 재무상태표를 보시면 현금및현금성자산과 각종 금융자산을 확인해보실 수 있습니다.

금융자산의 상세내역을 보고 싶다면,

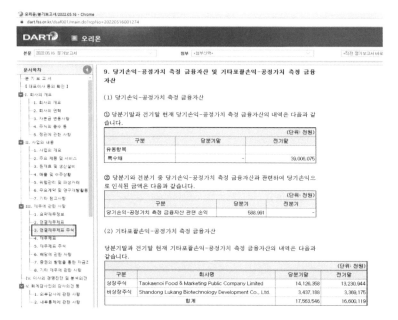

"연결재무제표 주석"에서 Ctrl + F 로 "금융"을 검색해보시면 해당 회사의 금융자산 내역을 확인하실 수 있습니다.

※ 오리온은 친절하게 금융자산 중 상장주식, 비상장주식, 그리고 종목명까지 기재해놓았으나, 그렇지 않은 기업들도 많이 있습니다.

실전 사례) 현금, 금융자산이 많으면 좋은 회사인가? '이크레더블 재무상태표

구분	2017	2018	2019	2020	2021
유동자산	43,136	49,634	53,950	58,890	66,796
현금+단기투자자산	39,559	45,151	48,492	55,347	61,872
비유동자산	6,271	6,975	8,687	8,605	7,272
유형자산	2,739	2,819	4,371	2,586	2,213
장기 대여금	2,191	2,394	2,614	2,531	2,652
자산 총계	49,407	56,608	62,637	67,495	74,068
유동부채	7,338	8,372	8,768	9,379	10,560
매입채무	4,178	5,007	4,972	4,981	5,492
선수금 등	1,382	1,266	1,341	1,610	2,073
당기법인세부채	1,777	2,099	2,264	2,611	2,874
비유동부채	80	106	156	264	160
부채 총계	7,418	8,478	8,924	9,643	10,721
자본 총계	41,989	48,131	53,713	57,852	63,347
부채비율	17.7%	17.6%	16.6%	16.7%	16.9%
유동비율	588%	593%	615%	628%	633%

이크레더블 2017~2021년 재무상태표 요약

이 자료는 나이스디앤비와 마찬가지로 기업신용평가업을 하고 있는 이크레더블의 재무상태표입니다. 2021년 기준 현금성자산 618억원을 가지고 있고 차입금도 없으며 부채비율은 16%로 굉장히 낮은 수준입니다.

14,060
전일대비 ▲100 +0.72%

| 전일 13,960 | 고가 14,070 (상한가 18,140) | 거래량 937 |
| 시가 13,980 | 저가 13,960 (하한가 9,780) | 거래대금 13 백만 |

선차트 1일 1주일 3개월 1년 3년 5년 10년   봉차트 일봉 주봉 월봉

투자정보	호가 10단계
시가총액	1,693억원
시가총액순위	코스닥 483위
상장주식수	12,043,600
액면가 매매단위	500원 1주
외국인한도주식수(A)	12,043,600
외국인보유주식수(B)	975,775
외국인소진율(B/A)	8.10%
투자의견 목표주가	4.00매수 20,000
52주최고 최저	19,150 13,650
PER EPS(2023.09) ▸	16.76배 839원
추정PER EPS ▸	N/A N/A
PBR BPS(2023.09) ▸	3.94배 3,567원
배당수익률 2022.12 ▸	7.40%
동일업종 PER	14.99배
동일업종 등락률	+0.59%

11/29 13,960 ▼ 80 (-0.57%)   11/30 10:00 11:00 12:00 13:00 14:00 15:00

그런데 PER는 16배로 시장에서 그리 인기있진 않네요. 왜 그럴
까요?

가. 매출실적

(단위 : 백만원)

사업부문	품목 및 매출 유형		제23기	제22기	제21기
신용조회사업	신용인증서비스 등	내 수	27,929	25,418	24,190
		수 출	473	406	404
	기술평가 서비스	내 수	14,095	15,740	14,730
기업정보사업	위더스풀 서비스	내 수	2,993	2,684	2,287
결제형 B2B 사업	TAMZ 서비스 등	내 수	1,640	1,455	1,295
합 계		내 수	46,657	45,297	42,502
		수 출	473	406	404
		합 계	47,130	45,703	42,906

이크레더블의 2022년 사업보고서 매출 실적

다음은 이크레더블의 매출 현황입니다. 대부분 내수 위주에요.

신용평가업을 가만히 생각해보면 세계적으로는 무디스, S&P,
Pitch의 세계3대 신용평가기관이 있고, 그 외에 아무래도 신용평가
라는 업무 자체가 해당 국가의 각 기업들을 세세하게 알고 있으면

서 그 국가의 허가를 받은 사업자들이 유리하겠죠.

그러니 사업의 확장성 부분에서 상당히 제한적일 수밖에 없어요. 내수위주죠. 매출을 증가시키려면 경쟁사인 나이스디앤비의 고객들을 끌어오는 수밖에 없는데 사실 다 끌어와도 결국 국내 내수위주라는 한계점에 봉착할 수 밖에 없습니다.

(단위 : 원)

	제 23 기	제 22 기	제 21 기
영업활동현금흐름	17,895,265,218	16,102,810,393	17,147,443,656
영업으로부터 창출된 현금흐름	21,982,750,878	20,266,609,926	20,517,794,131
이자수취	811,896,293	264,491,011	758,141,003
이자지급	(5,688,403)	(4,115,477)	(4,391,485)
법인세납부(환급)	(4,893,693,550)	(4,424,175,067)	(4,124,099,993)
투자활동현금흐름	(226,878,851)	102,120,500	39,475,856,654
금융상품의 취득	0	0	(1,000,000,000)
금융상품의 처분	0	1,000,000,000	41,600,000,000
대여금및수취채권의 취득	(610,000,000)	(1,192,000,000)	(280,000,000)
대여금및수취채권의 처분	427,000,000	485,000,000	475,000,000
보증금의 증가	0	(7,600,000)	(500,000)
보증금의 감소	556,680,000	0	0
유형자산의 취득	(120,463,395)	(20,800,000)	(230,768,000)
유형자산의 처분	524,544		3,044,454
무형자산의 취득	(480,620,000)	(162,479,500)	(1,090,920,800)
무형자산의 처분	0	0	1,000
재무활동현금흐름	(32,976,908,997)	(8,679,858,563)	(9,169,003,815)
배당금지급	(32,758,592,000)	(8,430,520,000)	(8,912,264,000)

이크레더블 2022년 사업보고서 중 현금흐름표

게다가 이크레더블이 어떤 제조업을 영위하여 생산시설이 필요한 것도 아니에요. 현금흐름표를 보면 딱히 돈이 나가는 곳이 없습니다. 고작해야 직원들 월급주고 배당으로 나가는 게 다에요. 그러니 자연스레 기업 내부에 돈이 쌓이게 되죠.

어떤 기업 내부에 현금이 많다는 게 안정적인 재무구조를 나타낼 수도 있지만, 반대로 앞으로 성장을 위해 추가적인 투자에 대해 태생적인 한계를 지니고 있다는 점을 한번 생각해볼 필요는 있겠습니다.

투자자 입장에서의 금융자산

✓ 회사가 갖고 있는 금융자산들의 규모를 재무상태표를 통해 확인

✓ 손익계산서를 통해 회사가 이전에 사들였던 금융자산들의 평가손익과 처분손익을 살펴보고 평가이익, 처분이익이 자주 발생하였는지를 분석

매출채권은 재고자산과 더불어 개인적으로 재무상태표 분석에 가장 핵심이라고 생각하는 계정과목입니다. 자본이나 기타포괄손익 등은 과감하게 생략하였으나 이 매출채권은 반드시 알고 넘어가시길 바랍니다.

매출채권

말은 복잡하지만, 단순하게 외상으로 생각하시면 됩니다. 즉 물건을 팔았는데 현금은 나중에 받기로 한 외상 어음, 매출채권이죠.

초코파이 10박스 10만원 매출 & 10만원 매출채권 발생
매출 10만원은 손익계산서에, 매출채권 10만원은 재무상태표 자산 항목의 매출채권에 기재

손익계산서

매출액   100,000원 (초코파이 10박스 · 10,000원)
매출원가
매출총이익
판매관리비
영업이익
기타손익
금융손익
지분법손익
법인세비용
당기순익

재무상태표

자 산	부 채
유동자산	유동부채
매출채권 100,000원	단기차입금
재고자산	매입채무
	미지급금
	선수금
비유동자산	미지급비용
유형자산	비유동부채
무형자산	장기차입금
관계기업투자	
비유동 금융자산	자 본
	생략

초코파이 10박스(박스당 만원) 판매시 손익계산서와 재무상태표

Q&A

왜 현금으로 바로 거래하지 않고 매출채권으로 받을까요?

개인들간의 거래와는 다르게 기업 간 거래는 단위도 단위지만 빈도가 상당히 많을 수 있습니다. 이렇게 빈번한 거래에 대해 일일이 현금 또는 카드로 매출·매입하는 것보다 일정기간 외상 매출, 매입 등의 장부를 만들고 거래한다면 일괄로 정리하여 장부에 계상하는 데에도 도움이 되고, 무엇보다 중소기업들의 경우 현금의 여유가 많지 않은 기업들도 많기 때문입니다.

대손충당금은 매출채권 중 거래 상대방이 떼어먹을 것이라고
예상하는 금액을 미리 기록하여 놓는 것을 의미합니다.

다시 위의 예시에서 오리온이 이마트 뿐 아니라 1,000개의 유통
업체에 초코파이를 1박스(만원)씩 납품을 한다고 가정하고, 전액
외상으로 거래했다고 가정합니다.

원래대로라면, 오리온은 1,000만원의 매출을 손익계산서에 기록하
고, 재무상태표에는 1,000만원의 매출채권을 기록하겠죠. 그런데
오리온이 가만히 살펴보니, 매년 매출채권의 3%정도는 항상 거래
처가 망하거나 다른 사유로 떼먹혔던 기억이 납니다.

그 결과, 오리온은 아예 매출채권에서 미리 3%를 떼버립니다. 이
3%를 뗄 때 올해 못 받을 것이라 예상해서 미리 비용 처리 해버
리는 부분을 "대손상각비", 이 대손상각비의 누계액을 "대손충당
금"이라고 해요.

　그런데, 대손상각비를 "비용 처리"한다고 했어요. 비용은 "매출원가, 판매비와관리비, 기타비용" 중 한 군데 들어갈텐데 어디로 들어갈까요?

　대손상각비는 제품, 서비스의 생산에 직접 기여하지 않으므로 매출원가가 아닌 "판매비와 관리비"로 포함되게 됩니다.

＊ 대손충당금은 매출채권에서 차감(-)하므로 재무상태표에 별도로 나타나진 않습니다. (주석 또는 기타 재무 사항 탭에서 확인하실 수 있습니다.)

손익계산서		재무상태표	
		자 산	**부 채**
매출액　10,000000원 (초코파이 1,000박스 ＊ 10,000원)		유동자산	유동부채
매출원가		본래 매출채권 10,000,000원	단기차입금
매출총이익		대손충당금　-300,000원	매입채무
판매관리비 - - - - 대손상각비 300,000원		**보고되는**	미지급금
영업이익　(10,000,000 ＊ 3/(대손 외상대금 중 못 받았던 비율))		**매출채권**　9,700,000원	선수금
기타손익			미지급비용
금융손익		재고자산	
지분법손익			비유동부채
법인세비용		비유동자산	장기차입금
당기순이익		유형자산	
		무형자산	**자 본**
		관계기업투자	생략
		비유동 금융자산	

초코파이(박스당 만원) 1,000박스 판매, 대손충당금 설정률은
3%라고 가정할 경우
오리온 손익계산서와 재무상태표

※ 기업의 대손상각비, 대손충당금은 어디서 확인할 수 있나요?

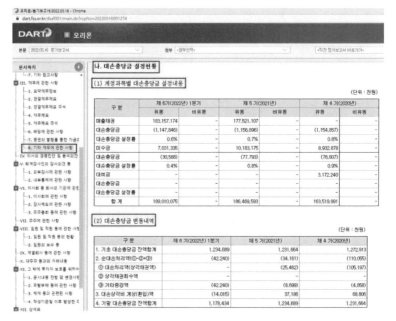

각 기업의 대손충당금 내역은 사업보고서, 분기-반기보고서 상에서 "기타 재무에 관한 사항"에 표기되어 있습니다. 간혹 여기에 없는 기업이라면 "주석" 또는 "사업의 내용"탭에서 확인해 보실 수 있습니다.

(2)대손충당금 변동내역을 살펴보면, 기초대손충당금, 순대손처리액,대손상각비 계상액, 기말 대손충당금 잔액 합계가 있습니다.

(2) 대손충당금 변동내역

(단위 : 천원)

구 분	제 6 기(2022년) 당기	제 5 기(2021년)	제 4 기(2020년)
1. 기초 대손충당금 잔액합계	1,234,689	1,231,664	1,272,913
2. 순대손처리액(①-②+③)	(282,016)	(34,161)	(110,055)
① 대손처리액(상각채권액)	(84,994)	(25,462)	(105,197)
② 상각채권회수액		–	–
③ 기타증감액	(197,022)	(8,699)	(4,858)
3. 대손상각비 계상(환입)액	3,858,197	37,186	68,806
4. 기말 대손충당금 잔액합계	4,810,870	1,234,689	1,231,664

1. 기초 대손충당금 잔액은 말 그대로 기초에 대손충당금을,

4. 기말 대손충당금은 기말 기준 대손충당금을 나타냅니다. 물론 재무상태표에 적용되는 대손충당금은 4. 기말 대손충당금 잔액이겠죠?

2. 순대손처리액을 살펴보면,

① 대손처리액(상각채권액)은 실제로 떼먹힌 금액입니다. 예상이 아닌, 실제로 거래처 부도 등으로 받지 못하게 된 매출채권 금액인거죠. 실제로 떼먹히게 되면, 기업은 미리 계상해두었던 대손충당금을 통해 매출채권을 제거해줍니다.

② 상각채권회수액은 실제로 떼먹힌 줄 알고 ①로 기록했으나 거래처가 다시 갚은 금액을 의미합니다.

3. 대손상각비 계상(환입)액은 기업이 예상하는 떼먹힐 대손상각비. 즉 위 오리온의 예시에서는 매출채권의 3%에 해당하는 금액을 의미합니다.

※ 참고

(3) 매출채권관련 대손충당금 설정방침
① 대손충당금 산정방법
  보고서 기준일 현재 매출채권에 대하여 전체 기간 기대신용손실을 대손충당금으로 인식하는 간편법을 적용하였으며, 기대신용손실을 측정하기 위해 매출채권은 신용위험 특성과 연체일을 기준으로 구분함.

② 기대신용손실율의 산정
  보고서 기준일 현재로부터 12개월 동안의 매출과 관련된 지불 정보와 신용 손실 정보를 근거로 기대신용손실율을 산출하였으며, 과거 손실 정보는 고객의 채무 이행능력에 영향을 미칠 미래전망정보를 반영하여 조정함.

[당분기말 현재 매출채권에 대한 손실충당금]

(단위: 천원)

구분	정상	60일 초과	90일 초과	180일 초과	부실채권(*)	합계
〈당분기말〉						
기대 손실률	0.03%	0.07%	0.14%	0.06%	79.07%	0.63%
총 장부금액	151,763,926	25,785,558	2,640,481	1,605,541	1,361,668	183,157,174
손실충당금	48,812	17,581	3,798	958	1,076,697	1,147,846
〈전기말〉						
기대 손실률	0.03%	0.08%	0.08%	2.46%	79.39%	0.65%
총 장부금액	158,337,355	12,505,257	3,901,447	1,443,094	1,333,954	177,521,107
손실충당금	49,888	9,428	3,024	35,555	1,059,001	1,156,896

(*) 연결실체는 부실채권에 대해 개별분석하여 손실충당금을 적용하였습니다.

(4) 보고서 기준일 현재 경과기간별 매출채권,미수금 잔액 현황

(단위 : 천원, %)

구 분	6개월 이하	6개월 초과 1년 이하	1년 초과 2년이하	2년 초과 3년 이하	사고채권	계
매출채권,미수금	184,477,787	2,466,160	1,874,942	1,747	1,367,873	190,188,509
구성비율(%)	97.0%	1.3%	1.0%	0.0%	0.7%	100%

  기타 재무에 관한 사항을 더 살펴보면, 기업이 대손충당금을 어떤 방식으로 예상하고 대손상각비를 책정해놓는지를 확인해 볼 수 있습니다. (손실충당금=대손충당금 / 대손상각비=매출채권 손상차손 이라고도 부릅니다.)

  오리온의 경우에는 매출채권이 발생한 기간별 손실률을 정해놓고

매출채권에 곱하여 대손상각비를 계산하고 있습니다.

　오리온의 예시에서 1년 초과하는 매출채권도 많은데, 대부분의 기업은 1년 정도 기간을 초과하는 매출채권에 대해 거의 전액을 대손충당금으로 잡아놓는 경우가 많습니다. 사실상 1년이 넘도록 받지 못하는 매출채권은 전액 대손처리하는 것으로 볼 수 있습니다.

　동네 짜장면 집에 가서 시켜먹고, "사장님 짜장면 값은 1년 뒤에 드릴께요~" 는 말이 되지 않으니까요.

매출채권회전율 (중요도: ★★★★★)

　매출채권이 현금화 되는 속도를 나타내는 항목입니다. 계산은 매출액/연간 평균 매출채권이고, 연간 평균 매출채권은 (전기말 매출채권 + 당기말 매출채권)/2 로 구하게 됩니다.

매출채권 회전율

$$= \frac{매출액}{연간\ 평균\ 매출채권}$$

매출채권 회전기간

$$= \frac{365}{매출채권회전율}$$

by 현명한 직장인

* 재무상태표가 대부분 12.31 기준이기 때문에 전년 재무상태표 상 매출채권과 올해 재무상태표상 매출채권의 평균 정도로 구해도 상관없습니다.

 매출액이 분모로 들어가있고, 매출채권이 분자로 들어가있으니, 이를 생각해보면 해당 매출액을 올리기 위해 매출채권이 몇 번을 회전했어야 하는지를 알려주고 있습니다.

(10 / 5 = 2 는 5가 2번 돌면 10이 된다는 뜻과 같음)

 매출채권회전기간은 기업이 갖고 있는 매출채권이 현금화되는 데 걸린 데 몇일이 걸리는 지를 알려주는 지표입니다. 예를 들어 매출채권회전기간이 50이라면 매출채권이 50일만에 현금화된다는 것을 의미합니다.

 결국 매출채권회전율이 높으면 매출채권회전기간이 짧은, 즉 매출채권이 현금으로 회수되는 기간이 짧은 것을 의미합니다.

 그렇다면 우리 투자자 입장에서 매출채권회전율은 높아야 하며, 회전기간은 짧은 것이 좋은 기업의 지표로 사용할 수 있습니다.

실전 사례) 매출채권의 분석 사례

① 재무상태표의 매출채권을 보기 전에, 주석 또는 기타 재무에 관한 사항을 통해 대손충당금 차감 전 본래의 매출채권 금액, 그리고 대손충당금이 얼마나 책정되었는지 살펴봅니다.

※ 어디까지나 사견이지만, 보통은 5% 내외의 대손충당금이 설정되어 있음이 보통입니다.

② 마찬가지로 주석 또는 기타 재무에 관한 사항을 통해 실제 대손발생이 어느 정도 했는지, 환입 규모는 어느 정도인지 살펴봅니다. 이를 통해 기업이 적당한 대손충당금을 설정해놓고 있는지, 너무 과하게 설정해놓은 것은 아닌지를 살펴볼 수 있습니다.

※ 위에서 예시를 들었지만, 중국집에서 짜장면을 시켜먹고 1년뒤에 갚는다는 건 말이 안됩니다. 이를 기업 입장에서 살펴보면, 매출액은 좋은데 죄다 매출채권 뿐이고 거기에 대손충당금까지 많이 설정해놓는다는건 어떤 의미일까요?

→ 인심좋은 중국집 사장님이라고 생각해야 할까요? 아니면 그냥 호O....

③ 5~10년간 매출채권회전율, 회전기간을 통해 평균적인 매출채권회전 상태를 살펴봅니다. 회전율과 회전기간이 좋은 상태에서는 매출액, 매출채권의 증가는 자연히 현금으로 쌓이는 것을 의미하며, 당장 재무상태표에 현금이 없더라도 이미 현금화하여 유형자산 등에 투자하거나 투자자산에 투자 또는 자사주 매입이나 배당으로 지급한 내역을 확인한다면 기업의 정상적인 성장을 가정해볼 수 있습니다.

이크레더블의 매출채권 분석

구 분	2017	2018	2019	2020	2021
매출채권	3,529	3,999	5,082	3,384	4,176
매출채권/매출액	15.1%	14.3%	17.0%	16.8%	17.1%
평균매출채권	3,552	3,764	4,540	4,233	3,780
매출채권회전율	9.6	9.9	9.0	10.1	12.1
매출채권회전기간	38.1	36.9	40.5	36.0	30.2

이크레더블의 2017~2021년 매출채권 회전 분석

제가 분석한 이크레더블의 매출채권회전기간입니다. 보통 30~40일 정도의 회전기간을 가지고 있네요. 그럼 이 기업은 외상으로 매출해준 뒤 3~40일이 지나면 그 매출채권을 현금으로 회수하고 있다는 의미입니다.

그러면서 동시에 대손충당금 현황도 살펴봅니다. 대손충당금 설정률. 즉 떼어 먹힐 것으로 기업이 예상하는 금액이 총 매출채권 중에 1%도 되지 않는 수준이고, 실제 대손이 발생된(떼먹힌) 외상매출채권도 258만원으로 그리 크지 않습니다.

어디까지나 일반적인 수치이지만 매출채권의 회전기간은 60~90일, 대손충당금 설정률은 5%내외가 이상적인 수치입니다. 매출채권의 관리가 안정적인 기업들의 경우에 말이죠.

이 기준으로 보면 이크레더블의 매출채권 관리는 상당히 양호한 수준입니다. 매출채권은

3~40일만에 현금화되고 그러한 매출채권 자체도 1%도 안되는 확

률로 대손이 발생될 것으로 예상하고 있습니다.

(단위: 천원, %)

구 분	계정과목	채권총액	대손충당금	설정률
제23기	매출채권	2,960,417	25,206	0.85
	미수금	10,206	-	-
	미수수익	84,510	-	-
	대여금	2,781,000		
제22기	매출채권	4,033,930	11,513	0.28
	미수금	35,415	-	-
	미수수익	8,049	-	-
	대여금	2,598,000		
제21기	매출채권	3,165,804	1,096	0.03
	미수금	132,258	-	-
	미수수익	17,422	-	-
	대여금	1,891,000		

나. 대손충당금 변동현황

(단위: 천원)

계정과목	금액
1. 기초 대손충당금 잔액 합계	11,513
2. 순대손처리액(①-②±③)	2,555
① 대손처리액(상각채권액)	2,588
② 상각채권회수액	33
③ 기타증감액	-
3. 대손상각비 계상(환입)액	16,249
4. 기말 대손충당금 잔액 합계	25,206

주요사례 국내 주요 회사들의 매출채권 회전율은 어떨까?

삼성전자	2017	2018	2019	2020	2021
평균매출채권	29,802,682	34,376,711	40,086,573	40,275,694	42,953,207
매출채권회전율	8.0	7.1	5.7	5.9	6.5
매출채권회전기간	45.4	51.5	63.5	62.1	56.1

LG생활건강	2017	2018	2019	2020	2021
평균매출채권	516,735	561,173	615,453	644,124	617,316
매출채권회전율	11.8	12.0	12.5	12.2	13.1
매출채권회전기간	30.9	30.4	29.2	30.0	27.8

현대자동차	2017	2018	2019	2020	2021
평균매출채권	7,615,039	7,259,150	7,247,112	7,414,816	7,648,487
매출채권회전율	12.7	13.3	14.6	14.0	15.4
매출채권회전기간	28.8	27.4	25.0	26.0	23.7

고려아연	2017	2018	2019	2020	2021
평균매출채권	367,228	342,528	352,522	415,959	529,273
매출채권회전율	18.0	20.1	19.0	18.2	18.8
매출채권회전기간	20.3	18.2	19.2	20.0	19.4

애플	2018	2019	2020	2021	2022
평균매출채권	42,334	47,400	41,625	44,476	56,219
매출채권회전율	6.3	5.5	6.6	8.2	7.0
매출채권회전기간	58.2	66.5	55.3	44.4	52.0

구글(알파벳)	2017	2018	2019	2020	2021
평균매출채권	16,469	19,949	24,343	29,438	35,827
매출채권회전율	6.7	6.9	6.6	6.2	7.2
매출채권회전기간	54.2	53.2	54.9	58.9	50.8

이렇게 이름을 알 만한 기업들의 공통점은 실적이 좋든 나쁘든, 주가가 오르든 내리든 매출채권의 관리만큼은 확실히 하고 있다는 점입니다.

제가 말씀드린 매출채권 회전기간 90일 이내는 기본이고 어떤 곳은 2~30일 이내인 곳도 있죠. 기업 입장에서는 채권관리죠. 가장 기본 중의 기본입니다.

받아야 할 돈을 제대로 받지 못하거나, 또는 늦게 받는다면 그만큼 현금화가 늦어진다는 뜻이고 이는 기업 운영에 매우 불리한 조건을 만들어주는 거에요.

※ 참고로 뒷장에 나오는 재고자산의 회전기간은 각 사업보고서에서 확인할 수 있지만, 매출채권의 회전기간은 따로 공시하지 않고 이렇게 따로 분석하셔야 합니다.

투자자 입장에서의 매출채권

✓ 매출채권 회전율, 기간은 무조건. 반드시 확인
✓ 대손충당금 설정 비율이 너무 높진 않은지 확인

[재무제표 분석하기] 2편. (재무상태표) 재고자산
중요도 : ★★★★

재고자산은 매출채권과 더불어 개인적으로 재무상태표 분석에 가장 핵심이라고 생각하는 계정과목입니다. 자본이나 기타포괄손익 등은 과감하게 생략하였으나 이 재고자산은 반드시 알고 넘어가시길 바랍니다.

재고자산

재고자산은 말 그대로 기업이 재고로 갖고 있는 자산입니다.

더 엄밀히 따지면 기업이 제조하여 판매할 목적으로 갖고 있는 "원재료, 재공품(제품을 만드는 중), 제품(완성품)"을 재고자산이라고 정의합니다.

뿐만 아니라 이미 완성된 제품을 외부로부터 매입하여 판매할 목적으로 갖고 있는 "상품"(제품X) 또한 재고자산으로 구분합니다.

원재료 재고자산

제품 생산을 위한 원재료

재공품 재고자산

제품 생산 과정에 있는 재공품

완제품 재고자산

최종 생산 후 보관중인 제품 재고자산

예시 오리온 초코파이 제조를 위해 갖고 있는

- 밀가루 : 원재료로서 재고자산(O)
- 초코를 씌우기 전 반죽상태의 초코파이 : 재공품으로서 재고자산(O)
- 완성되어 창고에 있는 초코파이 : 제품으로서 재고자산(O)

※ 재고자산을 확인하는 법

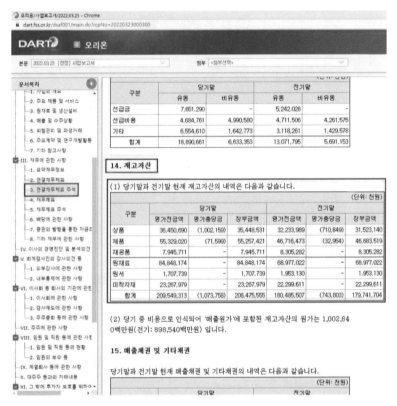

재고자산 현황은 기업의 사업,분기,반기 보고서 내에 주석사항에서 "재고"로 검색해보시면 찾을 수 있습니다.

* 상품 : 기설명

* 미착자재 : 아직 도착하진 않았으나 미리 대금을 지불하고 소유권을 가져온 밀가루 등의 원재료

재고자산 평가손실(손상차손)과 평가충당금

앞서 매출채권에서는 대손충당금이 매출채권에서 미리 떼어 먹힐 것이라고 예상하는 금액을 미리 매출채권에서 차감하는 항목이라고 했습니다.

재고자산평가손실 또한 마찬가지 의미로, 재고로 보관하고 있는 기간 중에 빨리 부패하여 상하거나 마모, 손실되어 판매가치가 없어질 것으로 예상하는 금액을 미리 비용처리하는 것을 의미합니다.

평가충당금은 평가손실의 누계액으로 재고자산에서 차감하는 항목입니다.

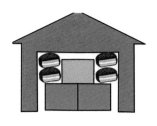

오리온 A창고 : 정상

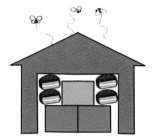

오리온 B창고 : 냉동고 고장

= 재고로 있던 초코파이의
상품성 손실

매년 따져보니 총 재고의 5%
정도는 항상 문제가 발생

오리온의 경우

초코파이를 생산하여 판매하기 위해 창고에 쌓아놨습니다. 그런데 오리온의 수많은 제품 창고 중 매년 몇 군데에서는 제품 보관시설이 고장나서 초코파이가 상하는 일이 발생합니다.

오리온 입장에서는 가만히 지켜보니, 아무리 창고 시설을 관리하더라도 매년 재고자산의 5%정도는 창고 문제 또는 홍수 등 기상이변 등으로 팔지 못한다는 사실을 알게 되었습니다. 따라서 아예 매년 재고자산의 5% 정도는 재고자산평가손실로 기록하여 재고자산평가충당금을 적립하고 재고자산 금액에서 빼버리게 됩니다.

※ 참고로 앞서 매출채권의 대손상각비는 보통 판매비와 관리비로 처리한다고 하였습니다.

Q&A

재고자산평가손실 또한 비용이므로 매출원가, 판매관리비, 기타 비용 중 하나에 들어가야 합니다. 어디로 들어가게 될까요?

→ 재고자산은 매출과 직결되는 자산이고 이에 대한 비용처리는 매출원가로 들어가게 됩니다.

손익계산서

매출액
매출원가 - - - - - 재고자산평가손실 100원
매출총이익
판매관리비
영업이익
기타손익
금융손익
지분법손익
법인세비용
당기순이익

재무상태표

자 산		부 채	
유동자산		유동부채	
본래 재고자산	10,000원	단기차입금	
재고자산평가충당금	-100원	매입채무	
보고되는 재고자산	9,900원	미지급금	
		신수금	
		미지급비용	
		비유동부채	
비유동자산		장기차입금	
유형자산		자 본	
무형자산		생략	
관계기업투자			
비유동 금융자산			

기존 재고가 10,000원 / 최초로 재고자산평가손실 100원을 계상할 경우
손익계산서와 재무상태표

재고자산평가손실은 정당한가?

위 예시는 초코파이가 상한다는 것을 말씀드렸지만, 사실 재고자산평가손실에는,

① 물리적 손상

② 재고자산의 진부화(인기가 없어져 판매가치가 떨어짐)

③ 판매가격이 하락

이 3가지 정도로 구분할 수 있습니다.

예를 들면 (②의 경우) LG가 갤럭시, 아이폰에 밀려 핸드폰 사업부를 철수하면서 남아있는 G시리즈에 대해 평가손실을 기록했을 수도 있고,

(③의 경우) LG에선 G시리즈를 원가 30만원에 생산하고 50만원에 판매했지만, 삼성 갤럭시가 20만원에 동일한 성능의 갤럭시 시리즈를 내놓는다면 LG는 판매가를 20만원으로 낮추고 원가와의 차액 10만원은 재고자산평가손실로 기록해야 한답니다.

그리고 오리온의 예시에서 사실 요즘 시대에 초코파이가 창고에서 상한다는 것 자체도 문제이지요. 매출채권이야 상대방에 대한 문제이기 때문에 대손충당금이 발생할 수 있다고 양보하더라도 지금 시대에 재고자산 평가손실이 지속적으로 큰 금액이 발생하는 기업에 대해서는 한번 더 지켜볼 필요가 있습니다.

왜냐면 기업은 초코파이가 상할 것 같다고 예상이되면 자가발전기를 구입하든, 창고시설을 개보수하든 어떤 방법을 강구해서라도 보관 대책을 마련해야 하고, 유행에 뒤쳐질 것 같은 재고는 애초에 경쟁력 있는 제품을 판매하든지, 아니면 완벽한 수요조사를 통해

재고자산이 적시에 제공되면서도 과도하게 누적되지 않는 관리가
필요합니다.

재고자산 폐기손실

재고자산 폐기손실은 말 그대로 원가를 투입하여 만든 재고를
아예 폐기시켜 버리는 것을 의미합니다. 재고자산폐기손실이
많은 기업은 재고 관리도 제대로 되지 않고, 제품의 경쟁력에
서도 문제가 있는 기업임을 암시하여 줄 수 있습니다.

실전 사례 1) LCD부품 기업의 재고자산 확인 & 재고자산평가
손실 확인 방법.

위 보고서는 LCD TV나 모니터에 들어가는 금형(금속 틀)을 생
산하는 국내 O의 사업보고서 일부입니다.

O의 주요 매출은 주로 삼성이나 LG디스플레이 등 주요 LCD기
업 또는 그 협력업체향 매출이 많은 부분을 차지하고 있습니다.

2023년 최근 사업보고서는 조금 나아졌지만, 2022년 사업보고서
기준으로 완제품 재고자산의 평가충당금을 보면 평가전 825,840천
원에 평가충당금 444,268천원이 계상되어 있어요. 이는 완제품 중
절반이상은 지금까지 들어간 원재료와 인건비조차 벌지 못할 것으
로 당사는 파악하고 있는 거에요.

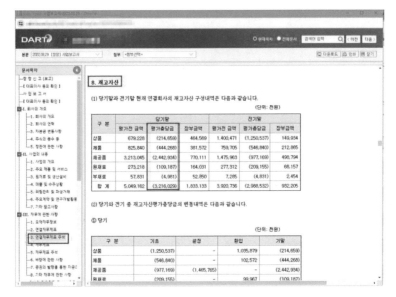

국내 LCD 부품 제조회사의 재무제표 주석 중 재고자산 평가충당금
확인 부분

(재공품은 더 심각한 상황이에요. 평가전 3,213,045천원 중
2,442,934천원이 평가충당금으로 계상되어 있네요)

그 사유는 여러 가지가 있겠죠. 실제로 재고자산의 품질이 나빠졌
거나 불량이 나서 그럴수도 있고 아니면 LG나 삼성의 LCD시장이
좋지 않아 파인디앤씨가 생산해 낸 제품 대비 수요가 모자랄 것으
로 예측하고 있을 수도 있죠.

어찌됐든 기업 입장에서는 정말 슬픈 일이에요. 최선을 다해 재공
품, 제품을 만들어내고 있는데 이 재고자산들을 제값에 팔지 못해
평가손실을 인식하고 평가충당금을 계상한다는 게 말이죠.. 그리고
투자자 입장에서는 조금 더 신중해 질 필요가 있겠죠.

13. 재고자산

(1) 당기말 및 전기말 현재 재고자산의 구성내역은 다음과 같습니다.

구 분	당기말		
	취득원가	평가충당금	장부가액
상품	20,840,714	(63,076)	20,777,638
제품	5,336,128	(9,549)	5,326,579
원재료	1,182,841	(1,378)	1,181,463
부재료	40,607	-	40,607
포장재료	1,079,784	(4,226)	1,075,558
재공품/반제품	2,004,493	-	2,004,493
저장품	166,378		166,378
미착품	17,798,732		17,798,732
합 계	48,449,677	(78,229)	48,371,448

당기 중 비용으로 인식되어 '매출원가'에 포함된 재고자산의 원가는 449,672백만원(전기: 404,776백만원)입니다.

재고자산평가손실로 인식되어 '매출원가'에 포함된 재고자산의 원가는 332백만원(전기: 368백만원)이며 당기 이전에 인식한 재고자산평가손실 395백만원(전기: 285백만원)을 환입하였고 환입된 금액은 손익계산서의 '매출원가'에 포함되어 있습니다.

재고자산 평가손실을 매출원가에 포함

재고자산평가손실은 검색하기가 조금 까다로울 수 있습니다.

재고자산평가손실은 매출원가에 가산해야

하기 때문에 별도로 손익계산서 등에 나타타지 않습니다.

대부분 명확히 재고자산평가손실이 얼마인지는 나와있지 않지만 재고자산평가충당금 설정액을 곧 재고자산평가손실로 보는 방법이 있고,

아예 재고자산 구성내역 밑에 매출원가에 포함된 재고자산평가손실을 문장으로 풀어서 써놓은 곳도 있습니다.

주석에 "폐기손실"을 검색하면 재고자산폐기손실 금액도 확인하실

수 있습니다.

재고자산 회전율과 회전기간 (중요도 ★★★★★)
재고자산회전율은 재고자산이 팔리게 되는 속도를 의미합니다. 회전율이 높을수록 기업이 보관하던 재고자산이 빨리 팔린 것을 의미하죠.
※ 보통은 매출원가가 분자로 들어가는게 일반적이며, 매출액을 쓰기도 합니다.

$$\text{재고자산 회전율} = \frac{\text{매출원가 또는 매출액}}{\text{연간 평균 재고자산}}$$

$$\text{재고자산 회전기간} = \frac{365}{\text{재고자산회전율}}$$

by 현명한 직장인

재고자산회전기간이 50일이라면 기업이 보유하는 재고자산이 평균 50일정도면 팔리게 된다는 것을 의미합니다. 따라서 투자자 입장에서는 회전율은 높고 회전기간은 낮아야 재고가 빨리 돌아 현금화되고 좋은 기업임을 파악할 수 있습니다.

실전 사례) 삼성전자로 보는 재고자산의 중요성

NEWSIS ⊕구독   PiCK

삼성전자 3분기 재고자산 55조...반도체 비중 61%

입력 2023.11.14 오후 5.23 수정 2023.11.14 오후 8.00   기사원문

동효정 기자

"[서울=뉴시스] 동효정 기자 = 삼성전자의 재고자산 부담이 지속되고 있다. 고대역폭메모리(HBM) 수요 증가에도 불구, 구형 DDR4 재고 소진 속도가 예상보다 더딘 탓이다. …(중략)… 다만 삼성전자의 재고자산 회전율은 지난해 3분기말 기준 3.8회에서 올해 3분기 기준 3.3회로 낮아졌다."
 - 출처 : 뉴시스 2023.11.14. 삼성전자 3분기 재고자산55조.. 반도체 비중 61%

이미 위 내용을 살펴보신 분들께서는 이해하시겠지만, 재고자산의 회전은 다른 말로 매출의 발생입니다. 재고자산이 회전한다는 말이 곧 제품을 판매한다는 의미이고, 이 회전율이 낮다는 건 제품의 판

매가 안되고 창고에 더 오래 쌓여있다는 뜻이죠.

'삼성전자 같은 경우 오리온처럼 최종 제품이 상할 우려도 없고 그냥 창고에 쌓아둬도 문제없지 않나?' 라고 생각할 수 있겠지만, 그 사이에 애플이나 화웨이 등이 신규 제품을 출시한다면 가뜩이나 유행을 많이타는 휴대폰 시장에서 재고자산의 평가, 폐기손실이 커질 수 밖에 없죠.

기업 입장에서는 받을 돈은 받는 매출채권의 관리, 그리고 철저한 시장 분석을 통해 너무 많지도 적지도 않은 재고의 수준을 유지하는 게 가장 핵심적인 재무 관리 활동 중 하나랍니다.

※ 국내 주요 회사들의 재고자산 회전율은 어떨까?

재고자산의 회전율은 매출채권회전율처럼 별도로 계산할 수도 있지만, DART에 공시하는 기업이라면 사업보고서나 분기보고서를 통해서도 확인하실 수 있답니다. (미국기업은 공시X, 각자 계산해야 함)

* 재고자산회전율은 사업,분기,반기보고서 상의 좌측 "기타 재무에 관한 사항"에서 확인하실 수 있습니다.

구 분	2022	2021	2020	2019	2018
삼성전자	4.1	4.5	4.9	5.3	4.9
LG전자	6.6	6.4	7.1	7.9	7.8
위니아	4.0	5.9	6.4	5.8	4.9
애플	9.4	9.1	8.8	9.1	9.8
현대차	8.8	8.3	7.4	7.9	7.8
LG생건	3.2	3.4	3.8	4.3	4.6
이마트	11.7	12.9	12.8	11.8	11.7
코스트코	12.4	12.9	12.3	11.8	11.8

국내외 주요 기업들의 재고자산회전율

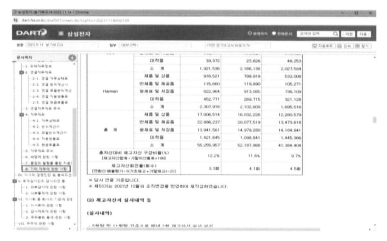

삼성전자의 재고자산회전율

투자자 입장에서의 재고 분석

✔ 재무제표 주석 사항을 참고하여 재고자산에 평가충당금이 어느 정도로 계상되어 있는지

※ 재고 관리가 철저할수록 당연히 재고의 평가 충당금은 적게 계상되어 있겠죠? 아래와 연계해서 분석

✔ 마찬가지로 주석 사항을 통해 재고자산평가손실, 폐기손실이 얼마나 자주 발생했고 어느 정도 규모였는지 파악

※ 갑자기 지진, 태풍으로 재고가 휩쓸려가지 않는 한 높지 않으며, 절대적인 수치보단 경쟁사와 비교해보는 편이 적절

✔ 5~10년간 재고자산회전율과 회전기간을 체크✔. 회전율이 높고 회전 기간이 짧은 상태에서 매출액, 재고자산의 증가는 기업 자체에서 시장조사를 통해 미리 재고자산을 보유하여 늘어나는 매출에 대응하기 위한 결과일 수 있음. 이를 통해 추후 매출액의 추가적인 증가로 이어질지. 기업의 성장을 예측할 수 있음.

선급금과 선급비용

선급금과 선급비용 모두 "미리" 돈을 지불한 경우를 의미합니다.

두 경우 모두 자산으로 기재되고 있습니다. 선급금은 회사의 본업과 관련하여 미리 지불한 금액을, 선급비용은 본업 이외의 부분의 비용에 대해 미리 지불한 금액을 의미합니다.

예시 오리온의 경우

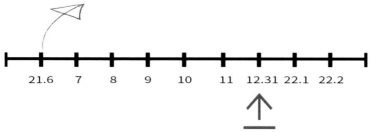

말가루 계약금 100만원 지급

21.6 7 8 9 10 11 12.31 22.1 22.2

재무상태표 기준일

아직 말가루를 못받았다면? ==> 선급금
말가루를 받았다면? ==> 재고자산(원재료)

오리온이 밀가루를 대량 구매하기 전에 미리 계약금 형식으로 지불해놓은 금액은 선급금입니다. 회사 재량이지만 친절하게 표시해준다면 「원재료선급금」 이라고 써줄 수도 있겠죠.

※ 재무상태표는 사업연도종료일 기준일로 작성하기 때문에 해당일에 아직 선급금으로 지급한 대가를 못받았다면 선급금으로, 그 대가(위의 예시에서는 밀가루)를 받았다면 그에 맞는 계정과목으로 대체하여 줍니다.

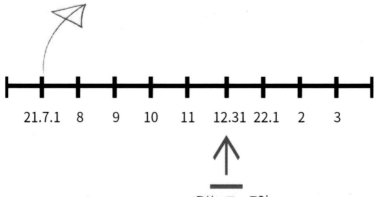

오리온이 2021년 7월 1일에 영업용 차량 1년치 보험료(21. 7. 1.

~ 22. 6. 30.)를 100만원 지불했습니다. 이제 12.31.이 되어 재무상태표를 작성해야 하는데, 재무상태표는 대부분 12.31.을 기준으로 작성하게 됩니다.

보험료를 7.1.에 1년치를 지급했으므로 12.31. 기준으로 보면 내년도 6개월치 보험료는 미리 지급한 셈이기 때문에 「보험료 선급비용」 50만원을 자산으로 인식하게 됩니다.

※ 선급금, 선급비용 확인하는 법 & 여러 가지 선급 비용

선급금, 선급비용은 자산의 계정과목이기 때문에 사업,분기,반기보고서상 재무상태표의 자산 항목에서 찾아볼 수 있습니다.

다만 해당 선급금, 선급비용이 어떤 대상에 대한 것인지를 확인하기 위해선 주석사항 또는 사업보고서를 통해 해당 기업의 사업을

살펴봐야 합니다.

그 사업의 구조를 이해해야 선급금의 성격을 이해할 수 있는 경우가 많아요. 그런데 그마저도 위와 같이 금액이 적거나 일부 기업은 해당 선급급, 선급비용에 대해 확인하지 못할 수도 있습니다.

다행히 대부분의 많은 기업들에게 선급금은 자산에서 큰 비중을 차지하고 있진 않답니다.

계정과목으로 무엇을 쓸지, 어디에 포함시킬지는 기업의 재량입니다. 따라서 선급금, 선급비용이 재무상태표 자산 계정으로 나와있을 수도 있고, 위의 경우처럼 주석사항에서 검색해보면, 기타자산에 포함시켜 놓았을 수도 있습니다.

위는 전자지불결제대행업을 하는 KG이니시스의 주석입니다. 당사
는 금융선급금이라고 선급금의 내용을 친절하게 표기해두었습니다.
별도 설명이 없더라도 일단 계정과목에 대한 이해가 있다면, 「금융선급금」을 보고 "일단 금융과 관련되어있고 회사 본업과 관련하여 미리 지급한 금액이구나" 라는 걸 예상할 수 있습니다.

그 후 주석사항을 살펴보면 KG이니시스는 소비자가 카드를 긁고 아직 가맹점에서 카드대금을 수취하기 전(카드사가 카드 사용자로부터 카드대금을 수취받기 이전)에 KG이니시스에서 해당 가맹점에 미리 돈을 지불하고 카드대금을 이후에 수납받는 경우가 있습니다. 이럴 경우 이니시스가 미리 지불한 금액을 금융선급금이라고 계상한다는 내용입니다.

투자자 입장에서의 선급금 분석

✓ 크게 중요한 부분은 아님, 금액이 크다면 한번 쯤 살펴 보기.

유형자산

기업이 자신들 "본업"의 사업활동을 위해 보유하고 있는 물리적 실체가 있는 자산을 의미합니다. (물리적 실체가 없다면? → 무형자산)

▶ 유형자산의 종류
: 토지, 건축물, 기계장비, 건설중인자산* 등

※ 건설중인자산

말을 '건설중인'이라고 해서 헷갈린데, 그냥 만들고 있는 자산입니다. 오리온이 공장을 증축하고 있으면 그 부분은 건설중인자산으로 기록됩니다.

뿐만 아니라 오리온이 매출 관련 회계프로그램을 개발중에 있으면 이 또한 건설중인자산(유형, 무형자산 모두 해당)이라고 기록합니다. 건설중인자산이 완료가 되면? 그에 맞는 유형자산 또는 무형자산으로 변경하게 됩니다.

※ 유형자산 상세내역 확인하는 방법

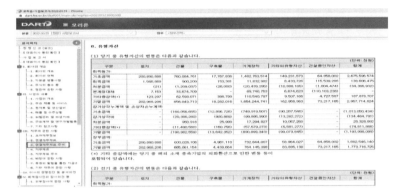

유형자산 상세내역은 역시 "재무제표 주석"에 기재되어 있습니다.
유형자산의 상세내역에는 회사가 취득-처분한 유형자산 내역, 감가
상각비 누계내역 등을 확인할 수 있습니다.

♣ 유형자산과 감가상각비 그리고 EBITDA 이야기.

유형자산이 있으면 반드시 따라다니는 비용이 바로 감가상각비입
니다.

당연히 유형자산의 규모, 비중이 크다면 그로 인해 발생하는 감가
상각비 역시 크겠죠?

그리고 이 책을 읽으신 분들이라면 한단계 더 나아가 이런 기업
들의 영업활동현금흐름은 당기순이익보다 더 클 가능성이 높다고
봐야합니다. 미리 설명드리자면, 감가상각비는 현금의 지출이 없는
비용이므로 현금흐름 계산시에는 당기순이익에 더해주도록 되어
있습니다. 이런 개념을 이용해 EBITDA라는 요상한 개념을 만들어

지기도 했어요.

 EBITDA는 법인세·이자·감가상각비 차감 전 영업이익을 의미해요. 이 개념이 주로 쓰이는 업종들이 바로 대규모 유형자산들을 이용해 매출을 올리는 기업들인데요.

 한번 생각해보세요. 영업·당기순이익이라는 명확히 기업들을 비교할 수 있는 기준들이 있는데 굳이 EBITDA를 쓴다? 이는 대규모 감가상각비가 부담되어 조금이라도 이익을 더 크게 보이려는 꼼수밖에 되지 않아요. 냉철하게 따지면 그 정도 감가상각비도 부담하지 못하면서 영업이익을 많이 뽑아내지 못한다? 그럼 사실 투자의 가치가 크지 않은거죠.

 워렌버핏 역시 이런 EBITDA와 같은 개념들을 상당히 싫어했어요. 감가상각비는 매우 중요한 비용이며, 이를 고려하지 않고 현금흐름과 EBITDA만 고려하는 경영자는 잘못된 의사결정을 내리는 셈이라고 경고하기도 했답니다.

★★ 자본적 지출(CAPEX)과 기업의 이윤
 제가 개인적으로 재무제표 분석을 하는 주된 이유이자 가장 중요하다고 생각하는 부분으로서,

 ★ 자본적 지출의 사전적 의미는 ′미래의 이윤 창출, 가치의 취득을 위해 지출된 투자 과정에서의 비용′을 의미하는데 주로 기업이 유형자산을 취득하는 데 들어간 비용을 의미합니다.

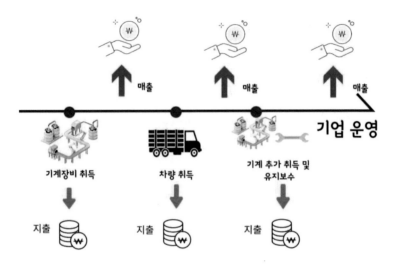

★ 오리온의 예시를 들어보겠습니다.

초코파이의 품질 유지 또는 개선을 위해선 꾸준한 기계장비 등에 대한 유형자산 투자가 이뤄져야 합니다. 혹은 다년간 신제품 개발 결과, 새로운 제품 출시를 위해 추가 공장 증설과 기계장비가 필요할 수도 있습니다.

기업이 공장, 기계장비 등의 유형자산에 투자하는 일은 현재의 일입니다. 매출은 그 이후에 발생하겠지요.

"그럼 매출은 얼마나 증가해야 적당한 것일까요?"

이후 시점에서는,

▌ "그 당시 지출했던 투자행위는 정당한 것인가?"

를 판단해봐야 합니다.

그런데 사실.. 기업의 모든 투자 활동에 대해 개인 투자자로서 일일히 수익성을 살펴보는 일은 사실상 어려운 일입니다.

★ 자본적 지출 비율

☞ 이러한 한계를 대신하여 투자자는

$$자본적\ 지출\ 비율 = \frac{누적\ CAPEX\ 투자}{누적\ 당기순이익}$$

자본적 지출 비율을 확인해볼 수 있습니다.

자본적 지출 비율의 의미를 생각해보면, 기업의 당기순이익 대비 유형자산투자액. 즉 기업이 벌어들인 이익에 대비하여 추가적인 매출 유지 또는 증가를 위해 기업이 투자해온 CAPEX 투자금액이 얼마인지를 확인하는 비율입니다.

만약 지난 10년간 누계 당기순이익이 100억인 기업이 해당 비율이 40%라면, 기업의 10년간 당기순이익 대비 10년간 유형자산 투자 금액이 40억이라는 이야기입니다.

66

자본적 지출 비율이 40%이하는 되어야 경쟁력 있는 기업이다.

- 워렌 버핏 -

99

워렌 버핏은 자본적 지출 비율이 40%이하인 기업에 투자하라는 조언을 한 적이 있는데요.

다시 생각해보면, 매출이 꾸준히 증가하는 와중에도 기업이 당기순이익 대비 40%이하의 자본적 지출 비율을 유지하면서 운영해오고 있다는 뜻은 "경쟁 기업을 물리치기 위해 과도한 투자를 하지 않아도 꾸준한 이익을 유지할 수 있을 만큼 경쟁력"이 있는 기업을 의미합니다.

워렌 버핏이 자주 주장하는 "진입장벽을 가진 기업"의 의미가 자본적 지출 비율이라는 수치적인 항목으로 표시되는 부분이죠.

♣ 유형자산을 통한 자본적 지출 비율의 한계

 워렌버핏의 자본적 지출비율 의미는 맛이라는 진입장벽을 만들어
놓은 코카콜라나 씨즈캔디를 인수할 때 갖고 있던 생각이 아닌가
싶습니다.

 물론 그런 워렌버핏의 충고는 개념적인 측면에서 지금에서와서도
너무나도 중요한 기업 가치의 평가항목입니다.

 그러나 사실 워낙 시장 자체가 경쟁적으로 변하였고, 변화속도가
빠른 만큼 추가적인 유형자산 투자 뿐 아니라, 무형자산 투자 그리
고 연구개발비가 CAPEX 못지 않은 비율로 비용의 측면에서 대두
되고 있습니다.

 투자자 입장에서는 근본적인 버핏의 충고 즉 "경쟁력 있는 기업"
을 찾되 현실적으로 경쟁사와의 비교, 무형자산과 연구개발비의 규
모 등을 추가로 파악하여야 현명한 투자 판단을 할 수 있지 않을
까 생각합니다.

※ CAPEX 투자 확인하는 방법

유형자산 취득 규모는 "현금흐름표"를 통해 확인하실 수 있습니다.

(기업의 사업,분기,반기보고서 → "연결재무제표" 상의 현금흐름표에서 투자활동현금흐름 내에서 확인)

※ 물론 주석에 나와있는 유형,무형자산의 상세내역을 확인하는 방법도 있지만, 여러해에 걸쳐 누계치를 내기 위해서는 현금흐름표를 통해 확인하는 방법이 더 용이합니다.

(미국 재무제표를 보시는 분들은 현금흐름표에서 보시는 방법 밖에 없답니다.)

♤ 워렌버핏과 코카콜라

워렌버핏은 하루에 코카콜라 5번을 마실만큼 좋아하는 것으로 유명하죠. 본인 스스로도 코카콜라에 투자를 했고요. 버핏 스스로가 자본적 지출에 대해 정의를 내리면서 당기순이익의 40%이하의 금액만을 유형자산에 지출하면서 이익을 꾸준히 내는 기업을 진입장벽을 갖추고 있는 기업이라 말했는데요.

그럼 코카콜라의 자본적 지출 비율은 얼마일까요?

구분	2013	2014	2015	2016	2017	2018	2019	2020	2021	2022
투자활동등현금흐름	-4,214	-7,506	-6,186	-999	-2,450	5,927	-3,976	-1,477	-2,765	-763
토지등유형자산 매입	-2,550	-2,406	-2,553	-2,262	-1,675	-1,347	-2,054	-1,177	-1,367	-1,484
합병,영업양수도현금 유출	519	-241	-1,926	197	-79	322	-5,113	-863	-2,586	385
잔단기투자자산 저b(매입)	-1,991	-4,814	-1,752	1,125	-609	7,188	2,269	252	1,029	1,020
자본적지출비율	-38.6%	당기순익누계		73,222	CAPEX누계		-28,260			

코카콜라의 10년 누계 당기순이익은 $73,222백만달러. 반면 유형자산 취득 그리고 합병 등으로 인해 기업을 인수하는데 지출한 금액의 누계액은 $28,260백만달러입니다. 자본적 지출비율은 38.6%로 계산되죠.

코카콜라의 10년 평균 당기순이익은 $7,322백만달러인데, 매년 당기순이익의 40%만을 유형자산에 투자하거나 경쟁기업을 인수하는 데 사용하면서도 한화 약 10조 가까이 벌어들이는 거죠.

물론 코카콜라 자체가 직접 생산시설을 갖고 있지 않음(생산은 외주)에도 당기순이익의 40%를 유무형자산 취득에 사용한다는 것이 많은 금액일수도 있지만, 중요한 건 그게 생산시설이든 아니든 적은 돈을 투입하고 많은 돈을 벌어들인다는 사실에는 변함이 없죠.

뉴스나 증권사 브리핑이 아니라 우리 스스로, 모든 대중에게 공개된 자료를 통해 그 기업의 진입장벽과 경쟁력을 판단할 수 있는 주요 요소임에 틀림없습니다.

♧ 주요 기업들의 자본적 지출 비율은 얼마일까?

구분	2013	2014	2015	2016	2017	2018	2019	2020	2021	2022
당기순이익	23,845,285	30,474,764	23,394,358	19,060,144	22,726,092	42,186,747	44,344,857	21,738,865	26,407,832	39,907,450
토지등유무형자산 매입	23,616,155	24,092,330	23,367,250	27,382,103	25,190,641	43,775,974	30,576,923	28,617,670	40,271,813	49,829,021
자본적지출비율	107.7%	당기순익누계		294,086,394	CAPEX누계	316,719,880				

삼성전자의 10년 누계 자본적 지출 비율 : 107%

구분	2013	2014	2015	2016	2017	2018	2019	2020	2021	2022
당기순이익	37,037	39,510	53,394	45,687	48,351	59,531	55,256	57,411	94,680	99,803
토지등유무형자산 매입	-8,165	-9,571	-11,247	-12,734	-12,451	-13,313	-10,495	-7,309	-11,085	-10,708
합병,영업양수도현금 유출	-496	-3,765	-343	-297	-329	-721	-624	-1,524	-33	-306
자본적지출비율	-19.6%	당기순익누계		590,660	CAPEX누계	-115,516				

애플의 10년 누계 자본적 지출 비율 : 19%

구분	2012	2013	2014	2015	2016	2017	2018	2019	2020	2021
당기순이익	9,061,132	8,993,497	7,649,468	6,509,165	5,719,653	4,546,400	1,645,019	3,185,646	1,924,553	5,693,077
토지등유무형자산 매입	-3,798,645	-4,162,157	-4,725,895	-9,359,865	-4,377,513	-4,518,126	-4,859,197	-5,303,396	-6,389,450	-5,861,327
영업양수도현금 유입	-290,989			-86,613	-2,370	-1,784			-50,313	-294,210
자본적 지출비율	-98.5%	당기순익 누계		54,927,610	CAPEX 누계	-54,081,850				

현대차의 10년 누계 자본적 지출 비율 : 98%

구분	2013	2014	2015	2016	2017	2018	2019	2020	2021	2022
당기순이익	2,039	2,058	2,377	2,350	2,679	3,134	3,659	4,002	5,007	5,844
토지등유무형자산 매입	-2,083	-1,993	-2,393	-2,649	-2,502	-2,969	-2,998	-2,810	-3,588	-3,891
합병,영업양수도현금 유출입								-1,163		
자본적지출비율	-87.6%	당기순익누계		33,149	CAPEX누계	-29,039				

코스트코의 10년 누계 자본적 지출 비율 : 87%

구분	2012	2013	2014	2015	2016	2017	2018	2019	2020	2021
당기순이익(법인세차감전)	435,752	476,244	291,918	455,880	381,637	627,939	476,179	223,836	362,573	1,589,074
토지등유무형자산매입	-824,949	-866,067	-974,078	-1,018,630	-620,395	-755,599	-916,397	-976,040	-561,034	-1,021,540
합병, 영업양수도로 인한 현금 유출	-293,905	-32,141	-6,624	-21,285	-142,288			-204,837	-316,072	-3,952,691
자본적지출비율	-253.8%	당기순익누계	5,321,032	CAPEX누계	-13,504,571					

이마트의 10년 누계 자본적 지출 비율 : 253%

구분	2012	2013	2014	2015	2016	2017	2018	2019	2020	2021
당기순이익	325	5,959	6,472	7,793	9,845	10,905	12,525	13,652	13,051	13,926
CAPEX	-182	-569	-485	-1,002	-625		-602	-1,085	-2,323	-1,322	-183
자본적 지출비율	-8.9%	누적 당기순이익	94,452	누적 자본적 지출	-8,377					

이크레더블의 10년 누계 자본적 지출 비율 : 8%

 이렇게 기업들의 자본적 지출비율을 분석할 때도 유의해야 할 사항이 있습니다. 이 자본적 지출 비율을 계산할 대상은 주로 유형자산, 즉 생산설비를 갖추고 제품을 생산하는 업종의 기업들을 대상으로 해야한다는 점입니다. 그 부분에서 이크레더블의 경우 자본적 지출 비율은 8%인데, 이는 생산설비로 제품을 생산하는 기업이 아니라 기업신용정보를 평가, 작성하는 기업이기에 생산설비가 필요없고 자연히 자본적 지출 비율도 낮게 계산됩니다. 그러할 경우 다른 가치 평가 수단이 필요하겠죠. (인건비 대비 이익 등)

 삼성전자는 107%인데 애플은 19% 밖에 되지 않습니다. 삼성전자는 경쟁력이 약한 걸까요? 물론 애플이 당기순이익을 많이 벌어들이는게 주요 이유이지만 산업구조에서도 차이가 있습니다. 삼성전자는 직접 생산설비를 갖추고 생산하지만 애플은 중국, 인도 등 세계각지에 제조 위탁업체를 통해 휴대폰을 생산하고 그러기에 직접 보유 중인 유형자산은 크지 않습니다.

 이런 기업들은 단순히 자본적 지출 비율 외에도 연구개발비 등 주요 비용 대비하여 얼마나 돈을 벌어들이는지도 주요 분석 방법이 될 수 있답니다.

★ 자본적 지출 비율 분석으로 사업의 본질 파악하기
신세계 인터내셔날의 사업 이해

대부분의 많은 제조기업들은 유형자산(토지, 건물, 기계장비) 등을 활용하여 매출을 발생시키는 것이 기본적인 사업 구조입니다.

따라서 중요한 것은, 어느 정도의 기술력을 가지고, 생산의 효율성을 발휘해 이익을 뽑아내는 것인지가 관건이고, 이를 확인하기 위해 간접적으로 자본적 지출율. 즉 당기순이익 대비 유형자산 취득액의 비율을 확인합니다.

이번엔 좀 특이한 케이스로 신세계인터내셔날의 유형자산과 자본적지출을 통해 어떻게 사업을 하는지, 사업의 본질을 어떻게 이해할 수 있는지 살펴보겠습니다.

신세계인터내셔날은 패션, 라이프스타일, 화장품 등의 사업을 주력으로 이마트, 백화점, 쇼핑몰 등 다양한 유통 채널을 통해 매출을 올리고 있는 기업이에요.

먼저 신세계 인터내셔날의 자본적 지출 비율을 살펴보겠습니다.

(단위: 백만원)

구분	2012	2013	2014	2015	2016	2017	2018	2019	2020	2021
당기순이익	49,347	31,492	19,254	20,989	17,455	24,138	57,678	74,001	50,958	82,629
투자활동현금흐름	-106,145	-116,737	-60,008	-65,556	-32,576	-31,244	-42,105	-25,344	-48,968	-37,433
토지 등 유형자산 매입	-111,003	-94,776	-70,600	-67,997	-42,346	-36,418	-31,268	-47,571	-46,612	-44,775
유무형자산 처분	8,387	48	258	2,085	71	16,207	163	670	2,713	475
장단기투자자산 매입 처분	-2,993	-21,910	-8,227	-723	10,336	-11,033	-11,000	21,556	-4,818	-9,696
합병·영업양수도 현금 유출입									-21,352	
자본적 지출비율	-138.7%	당기순익 누계	427,941	CAPEX 누계	-593,367					

지난 10년 누계 당기순이익은 427,941백만원. 유형자산 매입누계액은 593,367백만원입니다. 이 둘의 비율인 자본적 지출비율은 138%. 즉 당기순이익의 1.38배를 유형자산 취득에 사용했다는 뜻입니다.

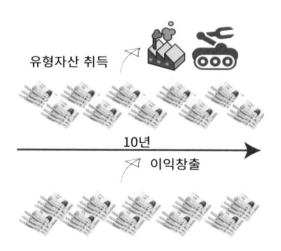

이해를 쉽게 하기 위해 한 기업의 모든 매출, 비용은 현금으로만 이루어지고, 유상증자나 차입은 없다고 가정 해보겠습니다. (사실 모든 거래는 현금으로 이뤄지긴 해요. 다만 매출채권, 매입채무란

이름으로 그 회수와 지급의 시기가 달라질 뿐이죠.)

이렇게 되면 대부분의 기업들은 벌어들인 돈. 즉 당기순이익(+감가상각비)의 수준 안에서 공장의 신증설, 기계장비 취득 등의 유형자산을 취득하기 위해 현금을 지출할 수 있습니다.

신세계인터내셔날의 유형자산을 한번 살펴볼까요?

(당기)

(단위: 천원)

구 분	기초	취득	처분	감가상각비	대체(주1)	환율차이	기말
토지	108,473,279	-	-	-	(7,692,912)	-	100,780,367
건물	109,608,723	-	-	(2,514,572)	(2,525,826)	-	104,568,325
구축물	5,491	-	-	(3,973)			1,518
인테리어	67,501,054	19,782,999	(12,423,276)	(23,896,754)	4,880,015	(32,167)	55,811,871
차량운반구	209,579	-	(67,937)	(72,291)		352	69,703
공기구비품	21,949,959	2,370,735	(185,013)	(4,897,503)	908,050	20	20,146,248
건설중인자산	2,318,884	10,997,440			(8,020,264)		5,296,060
합 계	310,066,969	33,151,174	(12,676,226)	(31,385,093)	(12,450,937)	(31,795)	286,674,092

(주1) 당기 중 투자부동산으로 10,218,738천원, 미수금으로 1,936,674천원 등 총 12,473,570천원이 차감되어 있습니다.
한편, 선급금에서 건설중인자산으로 대체된 22,633천원이 포함되어 있습니다.

(전기)

(단위: 천원)

구 분	기초	취득	처분	감가상각비	대체(주1)	환율차이	사업결합(주2)	기말
토지	119,608,566	-	(2,200,206)	-	(8,935,081)	-	-	108,473,279
건물	118,726,225	6,269	(1)	(2,693,308)	(6,430,462)	-	-	109,608,723
구축물	30,063	-	-	(24,572)		-	-	5,491
인테리어	65,185,229	25,165,368	(6,174,710)	(25,412,983)	7,618,880	(14,230)	1,133,500	67,501,054
차량운반구	268,348	-	(3)	(83,946)		-	25,180	209,579
공기구비품	22,335,160	3,465,316	(101,453)	(4,602,509)	846,198	2,928	4,319	21,949,959
건설중인자산	2,067,028	10,150,506			(9,898,650)			2,318,884
합 계	328,220,619	38,787,459	(8,476,373)	(32,817,318)	(16,799,115)	(11,302)	1,162,999	310,066,969

최근 4개연도만 살펴보면, 유형자산 취득의 대부분은 인테리어입니다.

신세계인터내셔날이 무엇을 파는 회사인가요? 해외수입의류와 코스메틱을 매입해와서 파는 회사입니다.

(당기)

(단위: 천원)

구 분	기초	취득	처분	감가상각비	대체(주1)	환율차이	기말
토지	119,608,566	-	-	-	-	-	119,608,566
건물	121,468,235	-	-	(2,742,010)	-	-	118,726,225
구축물	56,064	-	-	(26,001)	-	-	30,063
인테리어	62,176,200	29,324,551	(2,522,278)	(24,789,173)	998,509	(2,580)	65,185,229
차량운반구	356,993	-	-	(88,645)	-	-	268,348
공기구비품	21,206,739	4,920,823	(40,320)	(4,257,494)	503,475	1,937	22,335,160
건설중인자산	3,417,589	1,740,895	-	-	(3,091,456)	-	2,067,028
합 계	328,290,386	35,986,269	(2,562,598)	(31,903,323)	(1,589,472)	(643)	328,220,619

(주1) 당기 중 건설중인유형자산에서 건설중인무형자산으로 대체된 391,800천원과 건설중인무형자산에서 공
기구비품으로 대체된 428,000천원, 인테리어 등에서 미수금으로 대체된 516,328천원, 사용권자산으로
대체된 1,109,344천원 등이 포함되어 있습니다.

(전기)

(단위: 천원)

구 분	기초	취득	처분	감가상각비	대체(주1)	환율차이	사업결합(주2)	기말
토지	119,608,566	-	-	-	-	-	-	119,608,566
건물	124,190,797	38,000	-	(2,750,302)	(10,260)	-	-	121,468,235
구축물	82,066	-	-	(26,002)	-	-	-	56,064
인테리어	63,651,558	27,144,563	(3,837,660)	(25,144,933)	201,800	211	160,661	62,176,200
차량운반구	244,984	245,624	(1)	(133,614)	-	-	-	356,993
공기구비품	23,518,070	1,750,016	(81,947)	(4,188,790)	14,030	1,144	194,216	21,206,739
건설중인자산	715,667	2,840,182	(50,164)	-	(462,503)	-	374,407	3,417,589
합 계	332,011,708	32,018,385	(3,969,772)	(32,243,641)	(256,933)	1,355	729,284	328,290,386

멋진 의류, 고급 화장품 등을 파려면 건물 내부도 멋지게 꾸며져
있어야겠죠. 그런데 영업외비용을 살펴보면,

(2) 당기 및 전기 중 기타영업외비용의 내역은 다음과 같습니다.

(단위: 천원)

구 분	당기	전기
기부금	1,451,940	1,392,362
기타의대손상각비	-	2,743
유형자산처분손실	12,897,018	6,459,573

(2) 당기 및 전기 중 기타영업외비용의 내역은 다음과 같습니다.

(단위: 천원)

구 분	당기	전기
기부금	1,457,990	1,227,120
기타의대손상각비	-	7,538
유형자산처분손실	2,581,727	3,186,066

거의 매년 유형자산의 처분손실이 발생하고 있습니다.

(당기)

(단위: 천원)

구 분	기초	취득	처분	감가상각비	대체(주1)	환율차이	기말
토지	108,473,279	-	-	-	(7,692,912)	-	100,780,367
건물	109,608,723	-	-	(2,514,572)	(2,525,826)	-	104,568,325
구축물	5,491	-	-	(3,973)	-	-	1,518
인테리어	67,501,054	19,782,999	(12,423,276)	(23,896,754)	4,880,015	(32,167)	55,811,871
차량운반구	209,579	-	(67,937)	(72,291)	-	352	69,703
공기구비품	21,949,959	2,370,735	(185,013)	(4,897,503)	908,050	20	20,146,248
건설중인자산	2,318,884	10,997,440	-	-	(8,020,264)	-	5,296,060
합 계	310,066,969	33,151,174	(12,676,225)	(31,385,093)	(12,450,937)	(31,795)	286,674,092

(주1) 당기 중 투자부동산으로 10,218,738천원, 미수금으로 1,938,674천원 등 총 12,473,570천원이 차감되어 있습니다.
한편, 선급금에서 건설중인자산으로 대체된 22,633천원이 포함되어 있습니다.

(전기)

(단위: 천원)

구 분	기초	취득	처분	감가상각비	대체(주1)	환율차이	사업결합(주2)	기말
토지	119,608,566	-	(2,200,205)	-	(8,935,081)	-	-	108,473,279
건물	118,726,225	6,269	(1)	(2,693,308)	(6,430,462)	-	-	109,608,723
구축물	30,063	-	-	(24,572)	-	-	-	5,491
인테리어	65,185,229	25,165,368	(6,174,710)	(25,412,983)	7,618,880	(14,230)	1,133,500	67,501,054
차량운반구	268,348	-	(3)	(83,946)	-	-	25,180	209,579
공기구비품	22,335,160	3,465,316	(101,453)	(4,602,509)	846,198	2,928	4,319	21,949,959
건설중인자산	2,067,028	10,150,506	-	-	(9,898,650)	-	-	2,318,884
합 계	328,220,619	38,787,459	(8,476,373)	(32,817,318)	(16,799,115)	(11,302)	1,162,999	310,066,969

다시 자료를 살펴보면 신세계인터내셔날의 유형자산 처분 또한 대부분은 인테리어였어요.

즉 유형자산 중 "인테리어"를 가장 많이 취득하고 처분한다는 이 야기이고,

유형자산은 아래에 제시된 개별 자산별로 추정된 경제적 내용연수 동안 정액법으로
감가상각하고 있습니다.

구 분	내 용 연 수
건물	50년
구축물	25년
인테리어	5년
차량운반구	5년
공기구비품	5년~10년

내용연수를 살펴보면, 인테리어의 내용연수는 5년입니다. 감가상각은 정액법이구요.

그럼 신세계인터내셔날 입장에서는 인테리어를 새로 하면서 5년간은 우리 회사에 수익을 창출해주겠다고 예상한 것인데, 이렇게 지속적인 유형자산(인테리어)처분손실이 발생하는 것은 5년 이내 인테리어를 되팔거나 새로운 인테리어로 교체하고 있다는 의미입니다.

5년동안 같은 금액으로 감가상각하고 있었는데, 5년 이전에 헐값에 처분하거나 폐기해버리니 처분손실이 발생하고 있는 거죠.

구 분	2012	2013	2014	2015	2016	2017	2018	2019	2020	2021
당기순이익	49,347	31,492	19,254	20,989	17,455	24,138	57,678	74,001	50,958	82,629
투자활동현금흐름	-106,145	-116,737	-60,008	-65,556	-32,576	-31,244	-42,105	-25,344	-48,968	-37,433
토지 등 유형자산 매입	-111,003	-94,776	-70,600	-67,997	-42,346	-36,418	-31,268	-47,571	-46,612	-44,775
유무형자산 처분	8,387	48	258	2,085	71	16,207	163	670	2,713	475
집단기타투자자산 매입 처분	-2,993	-21,910	-8,227	-723	10,336	-11,033	-11,000	21,556	-4,818	-9,696
합병, 영업양수도 현금 유출입									-21,352	
자본적 지출비율	-138.7%	당기순익 누계	427,941	CAPEX 누계	-593,367					

다시 자본적 지출비율을 살펴보면, 지난 10년간 당기순이익의 총계는 427,941백만원이고, 유형자산의 취득액은 593,367백만원입니다.

회사는 이 427,941백만원으로 "배당"을 지급하거나, "자사주"를 취득하거나, "이익잉여금"으로 추후 유형자산의 취득 등 재투자를 할 수 있어요.

그런데 유형자산 취득액을 보면 이미 593,367백만원이에요.

구분	2012	2013	2014	2015	2016	2017	2018	2019	2020	2021
재무활동현금흐름	33,303	92,973	67,030	19,041	-14,468	3,727	-55,321	-85,521	-33,519	-94,830
배당금 지급	-3,570	-4,293	-4,283	-4,284	-4,284	-4,284	-4,284	-6,069	-7,853	-7,854
장단기차입금 차입(상환)	36,772	97,266	71,330	24,430	-11,047	8,012	-24,450	-79,331	-26,410	-87,812

게다가 많진 않지만 배당금까지 지급하고 있거든요. 결국 당기순이익을 초과하는 유형자산의 투자, 배당금 지급은 차입금을 통해 조달된 현금의 일부가 쓰이게 되는거죠.

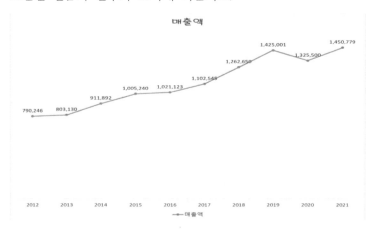

매출액

2020년 코로나 시기를 제외하고 신세계인터내셔날은 지난 10년 중 9개년의 매출액 (+)성장을 보이고 있어요.

그러나 현명한 투자자라면, 이 성장의 이면을 볼 줄 알아야 합니다.

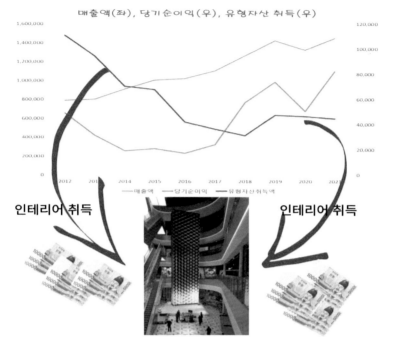

매출액(좌), 당기순이익(우), 유형자산 취득(우)

인테리어 취득

인테리어 취득

그 이면에는, 제품의 질 이외에 소비자들을 끌어들이기 위해 분위기, 환경을 조성하기 위한 인테리어(유형자산)를 취득하고 있다는 것. 그 규모와 그것이 수익창출에 얼마나 기여하는지를 말이에요.

투자자 입장에서의 자본적 지출 분석

✓ 기업 분석 전 자본적 지출 비율 계산은 필수. 최소 5년 누계

✓ 워렌버핏의 자본적 지출 비율 40%는 다소 한계가 있으나
   그 의미만은 반드시 유념해야 함.

✓ 주요 경쟁사 간 비율을 비교해볼 것. 어디가 더 경쟁력있는가.

[재무제표 분석하기] 16편. (재무상태표) 무형자산

무형자산

유형자산과 반대로, 물리적 실체는 없지만, 미래에 경제적 효익 즉 돈을 벌어다 주거나 돈이 될 무형의 자산을 의미합니다.

▶ 무형자산의 종류

: 영업권, 개발비, 특허권 등

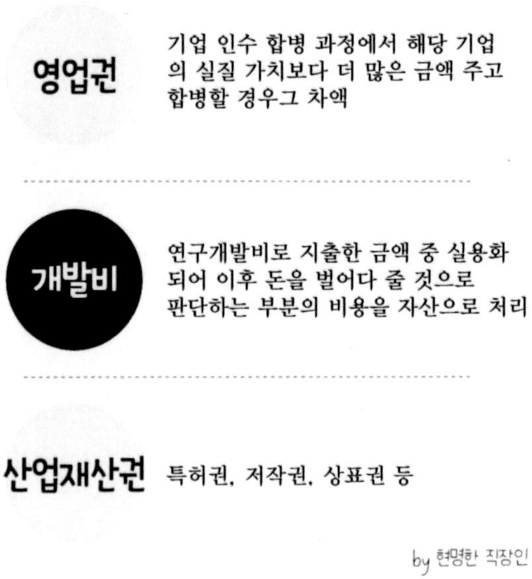

영업권
기업 인수 합병 과정에서 해당 기업의 실질 가치보다 더 많은 금액 주고 합병할 경우그 차액
개발비
연구개발비로 지출한 금액 중 실용화되어 이후 돈을 벌어다 줄 것으로 판단하는 부분의 비용을 자산으로 처리
산업재산권
특허권, 저작권, 상표권 등
by 현명한 직장인

무형자산(영업권). 오리온의 가정

 영업권은 자산 10,000원 부채 5,000원 자본 5,000원(자산-부채)인 기업을 8,000원에 산다고 할 때, 3,000원으로 계상되는 무형의 자산을 뜻합니다.

 - 오리온은 딸기 파이를 제조하고 있는 제과회사인 하이페리온을 인수.

- 하이페리온의 순자산은 5,000원이며 오리온은 8,000원에 하이
페리온을 인수. → 순자산보다 비싸게 산 3,000원을 영업권으로
인식

⊙ 오리온 입장을 대변

비록 하이페리온이 5천원짜리 회사이지만, 우리는 하이페리온
이 갖고 있는 내부적인 역량, 미래 가치 등으로 나중에 돈을 더
벌어다 줄 것이라고 믿는다. 그 보이지 않는 힘을 영업권이라
칭하고 그 가치가 3천원이라고 추정한다. 그러니 우리가 더 값
을 주고 인수한 것은 정당하다.

- 특허권, 지적재산권 등의 산업재산권은 생략하겠습니다.

개발비

기업이 연구 개발과정을 통해 나중에 돈을 더 벌어다 줄 것
이 본인들 나름대로 확실시되는 비용을 자산으로 인식하는 것
입니다.

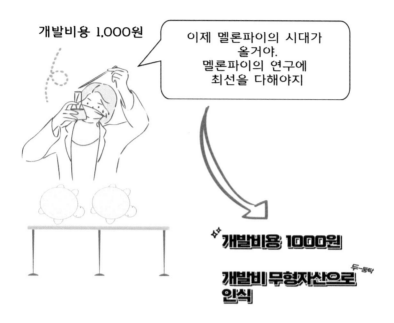

개발비용 1,000원

이제 멜론파이의 시대가 올거야. 멜론파이의 연구에 최선을 다해야지

뚜 개발비용 1000원

개발비 무형자산으로 인식 두둥턱

오리온의 개발비 예시

오리온의 개발비

오리온은 멜론파이를 연구개발 중. 오랜 연구개발로 이제 멜론파이를 출시하면 수익성이 있을 것이라고 강력히 믿고 있음 → 연구개발비로 들어간 비용을 무형자산의 개발비로 인식.

⊙ 오리온 입장을 대변

이제 초코파이가 아니라 멜론파이의 시대가 올 것이다. 우리는 멜론파이 개발에 심혈을 기울였고, 이로 인해 매출 증가가 있을 테니까 개발비로 들어간 부분은 비용이 아니라 개발비

무형자산으로 인식하겠다.

♣ 연구개발비와 개발비

일전에 손익계산서 부분에서 연구개발비는 보통 판매비와관리비로 들어간다고 설명해 드렸습니다.

사실 이 과정에서 연구+개발의 비용이 분리되는데, 연구비는 판매관리비로, 개발비 중에서도 돈벌이가 된다고 판단하는 부분은 자산(개발비, 무형자산) 그 외 부분은 비용으로 판매관리비로 분류됩니다.

당연히 기업 입장에서는 개발비를 비용으로 처리하는 것보다 자산으로 처리하는 것이 영업이익이나 당기순이익이 더 좋아 보이겠죠?? 게다가 자산이 더 늘어나니 자산은 커지고 부채비율은 더 낮아질테니까요.

물론 회계기준에 따라 개발비를 자산으로 인식하는 요건들이 정해져있어요. 그리고 개발비를 너무 과다계상할 경우 금융감독원에 의해 지적을 받기도 하구요. 그런 연유들로 대부분의 기업들은 개발비에 대해 보수적으로 평가하고 있어요. 즉 많은 부분을 비용처리하고 자산화는 적은 부분만 하고 있는 거죠.

그런 과정에서 우리 투자자들은 기업이 개발비를 과대계상하는 몇몇 기업들을 피해 현명한 투자를 해야겠죠.

※ 연구개발비(판관비)로 처리 vs 개발비(자산) 처리할 경우 차이

1. 연구개발비로 판매관리비(비용) 처리할 경우 : 당기순이익은 50만 원

손익계산서		재무상태표	
		자산	부채
매출액	1,000,000원	유동자산	유동부채
매출원가		현금 및 현금성자산	단기차입금
매출총이익		단기금융상품	매입채무
판매관리비	개발비 500,000만 원	매출채권	미지급금
영업이익		재고자산	선수금
기타손익			미지급비용
금융손익		비유동자산	
지분법손익		유형자산	비유동부채
법인세비용		무형자산	장기차입금
당기순이익	500,000원	관계기업투자	
		비유동 금융자산	자본
			생략

연구개발비를 판관비로 처리할 경우.
당기순이익은 매출액 100만 원 - 개발비용 50만 원 = 50만 원

2. 연구개발비를 개발비(자산, 무형자산) 처리할 경우 : 당기순이익 100만 원

손익계산서		재무상태표	
		자산	부채
매출액	1,000,000원	유동자산	유동부채
매출원가		현금 및 현금성자산	단기차입금
매출총이익		단기금융상품	매입채무
판매관리비		매출채권	미지급금
영업이익		재고자산	선수금
기타손익			미지급비용
금융손익		비유동자산	
지분법손익		유형자산	비유동부채
법인세비용		무형자산 50만원	장기차입금
당기순이익	1,000,000원	관계기업투자	
		비유동 금융자산	자본
			생략

※ 내가 분석하는 기업의 연구개발비 현황을 확인할 수 있는 곳은?

연구개발비 현황은 2021년부터 사업보고서가 업데이트되면서 왼편에 연구개발활동 탭이 새로 생겼습니다. 따라서 각 사업,분기,반기 보고서 상의 왼쪽 탭 연구개발활동 현황에서 회사의 연구개발비 현황을 살펴볼 수 있습니다.

※ 그 이전년도의 사업보고서는 보통 "사업의내용"탭에서 확인하실 수 있으며, 여기 없으면 주석에서 찾아보시면 된답니다.
→ 또한 해당 회사가 연구개발비를 판관비로 처리했는지, 개발비(무형자산)으로 처리했는지를 확인할 수 있습니다. 위의 예시인 오리온은 모든 연구개발비를 판관비로 회계 처리하였음을 볼 수 있

습니다.

연도	연구과제	연구기관	연구결과 및 기대효과	제품등에의 반영내용
	고단백질 바 개발	내부	매출증대	신제품 적용

2019년 오리온 사업보고서 일부

위 오리온의 경우 보수적으로 연구개발비 처리를 한 것으로 보입니다. 연구개발 활동을 보면 2019년에 지출한 고 단백질바 개발비도 판관비 처리하였는데 사실 지금와서 보면 요즘 마트에서 단백질 바를 흔히 볼 수 있죠.

즉 당시에 개발비로 자산 처리하고 영업이익과 당기순이익이 더 좋아보이게 처리할 수도 있었습니다. 그러나 그러지 않았죠. 아마 금액도 얼마 되지 않고 괜히 개발비로 처리했다가 회계감사에 꼬투리 잡히는 게 번거롭기 때문에 처리했을 수도 있습니다.

실전 사례 1) 카카오 VS 네이버의 연구개발비 비교

위는 카카오와 네이버의 연구개발비 회계처리 내역입니다. 두 회

사 모두 연구개발비의 금액과 비중이 제법 큰 기업으로 연구개발비 전액을 비용처리하는 네이버와 달리 일부를 무형자산으로 계상(연구개발비와 비교해보면 1%도 안되는 비율임에도..)하는 카카오에 대해서도 당시 일부 부정적인 의견이 있었습니다.

☞ 그렇다면 지금 보고 계신 회사는 네이버, 카카오와 비교해봤을 때 연구개발실적이 더 뛰어나서 개발비를 자산으로 처리하고 있는지, 한번 확인해 보시기 바랍니다.

★ 영업권의 손상차손

동네 분식집 사업이 매물로 나왔습니다. 보증금, 권리금 등 총 6천만원이 들어요.

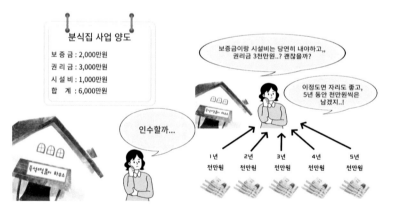

인수자는 최소 5년간 매년 천만원씩의 현금은 가져다 줄 것으로 예상하고 권리금 3천만원을 지불합니다. (사실상 이런 소규모 개인사업자들에게 권리금은 법인들의 영업권과 비슷한 개념입니다.)

그런데 시간이 지나보니, 아니었어요. 매년 3백만원의 순이익만

남게 되었다고 가정해봅니다.

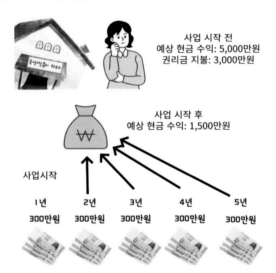

인수자는 최소 5천만원의 현금흐름을 예상하고 권리금 3,000만원을 지불했지만, 실상 사업 시작 후 예상되는건 5년 간 총 1,500만원의 예상 현금흐름이었죠.

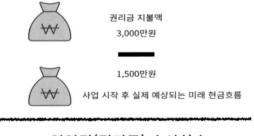

영업권(권리금) 손상차손

1,500만원

이렇게 실제 사업 시작 후 예상되는 현금흐름과 사업 전에 권리금의 차액을 기업입장에서는 영업권 손상차손으로 인식하게 됩니다.

실제 많은 기업들이 영업이익은 괜찮은데 당기순이익이 갑자기 급격히 떨어지는 경우를 자주 볼 수 있습니다.

이럴 때 많은 경우가 바로 이 영업권의 손상차손이 발생한 경우에요.

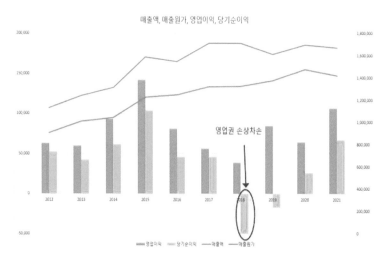

한세실업의 손익계산서 요약

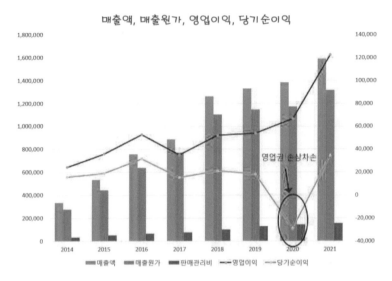

코스맥스의 손익계산서 요약

구분	2013	2014	2015	2016	2017	2018	2019	2020	2021
(영업외비용)	5,637	8,731	5,394	7,210	11,508	48,737	70,751	78,733	43,931
이자비용	3,112	4,250	2,003	1,001	3,973	33,412	53,410	37,278	30,607
무형자산손상차손		434				401	1,744	22,148	

한국콜마의 무형자산 손상차손

영업권(무형자산)에 손상차손이 발생할 경우, 대부분 영업외비용으로 인식하기 때문에 영업이익에는 상관없지만, 당기순이익에서 큰 손실을 볼 수 있습니다.

위 한세실업이나 코스맥스 마찬가지죠. (다만 한국콜마는 2020년 대규모 무형자산 손상차손이 발생했으나 같은 해 사업매각이익으로 상쇄됨)

그럼 투자자 입장에서는 어떻게 해석해야 할까요?

① 뭐 사업 벌이다 보면 잘못 비싸게 살 수도 있지. 내가 어떻게 할 수도 없는데

② 기업의 근시안적인 안목으로 무리한 사업 확장을 벌인 대가다. 향후 사업 확장 행보를 더 유심히 살펴보자.

정답은 없습니다. 사실 1번처럼 개미인 내가 뭐 어떻게 할 수 있는 것도 아니니까요. 다만 지속적이고 무리한 사업확장으로 영업권이 과대해지고, 무형자산의 비중이 커질수록 기업의 자산회전율은 감소할 가능성이 높고 실제 영업권의 가치에 대한 의심이 높아질 수 있습니다.

그렇지만 실제 무형자산의 가치. 영업권의 진가가 발휘된다면 매출도 그만큼 증가할 것이기 때문에 회전율에 대한 걱정도, 영업권에 대한 가치도 의심할 필요 없겠죠?

실전 사례 2) VISA를 통해 살펴 본 무형자산 "고객관계"
제 동창 중에 건재상(건축자재상)을 하는 친구가 있어요. 저희 지방에서 상당히 큰 규모로 운영 중이며, 우리 동창 중에서 가장 금수저인 친구였죠.
건재상의 사업구조는 상당히 간단해요. 자재를 싸게 구입해 와 좀 더 비싸게 팔고 그 마진을 챙기는 구조에요. 그 건재상은 친구 아

버지대부터 해오고 있던 것인데, 고등학교 졸업 후 시작하여 거의 20년이 다 되어가니 사실상 경영권 승계는 진작에 끝났다고 봐야 겠죠.

이 친구가 아버지로부터 받은 가장 중요한 자산은 무엇일까요? 건재상 건물? 토지? 자재? 이런건, 돈으로 사면 그만이죠. 이 건 재상의 가장 중요한 자산은 눈에 보이지 않는 자산. 즉 기존 고객 들과의 관계(줄여서 고객관계)입니다.

친구 아버지는 평생을 들여 단골들을 확보했고 나름대로의 고객 데이터 베이스를 구축해놓았죠. 건재상 특성상 한 번 거래를 트면 어지간하면 자주 바꾸지 않기에 고객 확보 + 관리만 잘하면 해당 고객을 통해 지속적인 매출을 발생시킬 수 있어요.

현 회계상 친구 아버지가 만든 고객관계는 무형자산으로 인식할 수 없어요. 하지만 이 고객 명단 또는 데이터베이스가 구분 가능하 고, 타인에게 해당 고객 목록의 거래가 가능하면 고객관계라는 무 형자산으로 인식이 가능해요.

서론이 길었는데, 이 고객관계라는 무형자산은 재무제표 주석을 통해 확인이 가능해요. 대부분 재무상태표에는 '무형자산'이라고만 기재하고, 그 세부내역은 주석에서 별도로 구분해놓고 있거든요.

아마 이 고객관계라는 무형자산을 세계에서 가장 많이 보유하고 있는 회사는 아마 VISA가 아닐까 합니다.

		2021			
	Gross		Accumulated Amortization		Net
					(in millions)
Finite-lived intangible assets:					
Customer relationships	$	726	$	(440)	$ 286 $
Trade names		199		(148)	51
Reseller relationships		95		(92)	3
Other		16		(15)	1
Total finite-lived intangible assets		1,036		(695)	341
Indefinite-lived intangible assets:					
Customer relationships and reacquired rights		23,239		—	23,239
Visa trade name		4,084		—	4,084
Total indefinite-lived intangible assets		27,323		—	27,323
Total intangible assets	$	28,359	$	(695)	$ 27,664 $

2021년 기준 VISA 무형자산 내역

2021년 기준 VISA의 고객관계 무형자산의 금액은 총 $23,525 백만 달러(내용연수 한정: $286백만 + 내용연수 비한정: $23,239 백만 달러), 환율 1,300원으로 계산하면 한화 약 30조 5,825억원 입니다.

무형자산 인식 요건

❶ 식별가능성

* 다른 자산과 분리 가능. 매각, 이전, 라이선스, 임대, 교환이 가능할 것.

❷ 통제가능성

* 미래에 돈을 벌어다 줄 수 있음. 이 권리에 제3자가 접근하는 것을 막을 수 있을 것,

❸ 경제적 효익의 존재

> * 미래에 제품의 매출, 용역수익, 원가절감 등의 방식
> 으로 미래에 돈을 벌어다 줄 수 있을 것.

제 친구 건재상의 고객관계는 사실 ② 통제가능성이 없기 때문에 무형자산으로 인식할 수 없어요. 다른 건재상이 제 친구 건재상의 고객들에게 접근하여 자신의 단골로 만드는 것을 막을 수 없는 것이죠.

그러나 VISA의 경우는 가능해요. VISA는 카드결제 시스템을 제공하는 기업으로 이들이 수익을 내기 위해선 많은 거래처가 VISA가 제공하는 카드결제 네트워크를 활용해야 하죠.(사실 VISA 아니면 Master Card 말고 선택지가 적지만요..) 수십년에 걸쳐 VISA는 거래처들을 확보해두고 이렇게 만들어진 고객관계를 교환하는 거래는 고객관계로부터 기대되는 미래 경제적 효익을 통제할 수 있다는 증거를 제공하므로 무형자산의 정의를 충족하게 됩니다. 즉 다시 제 친구 예를 들어 건재상의 고객 목록을 거래할 수 있다면, 이는 통제가능한 것으로 보고 무형자산으로 인식하는 것이죠.

VISA의 지난 10년간 평균 영업이익률은 58.4%, 당기순이익률은 43.1%입니다. 아마 10년 평균 영업이익률과 당기순이익률만 따져도 세계에서 가장 높은 축에 속하지 않을까 싶어요.

다만, 이러한 이익률의 뒤에는 그간 VISA가 확보한 15,100여개의 금융기관, 카드발급사, 카드전표 매입사들의 있고, 이들을 확보하기 위해 취득한 비용도 존재한답니다.

♣ 영업자산이익률 분석

> · 영업자산이익률 = 영업이익 / 영업자산*
>
> * 영업자산 : 유형자산, 무형자산 등 기업의 영업에 직접적이고 필수적으로 필요한 자산

유·무형자산을 설명해왔지만 독자분들 입장에서는 그래서.. 유무형자산과 기업의 이익, 투자와 어떻게 연계시킬지 고민이 되실 수 있습니다.

그래서 우리는 영업자산 대비 영업이익의 비율을 활용해 기업이 영업자산들을 얼마나 효율적으로 활용하고 있는지, 충분한 이익은 뽑아내고 있는지에 대해 알아볼 수 있어요.

먼저 영업자산의 정의를 살펴볼게요. 영업자산이란 유형자산, 무형자산 등 기업의 영업활동에 필수적으로 요구되는 자산을 의미해요.

기업에게 당장 기계장치가 없다면 영업을 할 수 없죠. 한편 무형자산에 대해 의문이 들 수 있지만, 무형자산 역시 기업입장에서는 하나의 회계적 명분이에요. 고객관계, 영업권 등이 없었다면 기업입장에서는 지금의 이익을 유지할 수 없었을 테니까요.

반면 현금, 금융자산은 어떤가요? 당장 기업에게 현금, 금융자산이 없더라도 생산 자체에는 큰 문제는 없어요. (현금으로 비용을 지불해야 한다는 의미는 '운영'의 문제이지 생산 자체의 문제는 별도로 생각)

따라서 영업자산에는 유형자산, 무형자산, 재고자산 등이 포함될 수 있어요. (매출채권 역시 포함될 수 있지만 저는 제외..)

구분	2017	2018	2019	2020	2021
영업이익	33,864	41,385	34,327	26,994	25,617
영업자산	34,534	34,679	33,917	34,460	37,847
영업자산 ROI	98.1%	119.3%	101.2%	78.3%	67.7%

2017~21 금화피에스시 영업자산이익률(영업자산ROI)

위 자료는 발전소 유지보수 사업을 하고 있는 금화피에스시의 5개년 영업자산이익률을 살펴보는 자료에요. 5년 평균 영업자산이익률이 평균 93%로 계산되네요.

자산	제 42 기	제 41 기	제 40 기
유동자산	211,671,833,990	165,325,061,697	169,109,259,045
현금및현금성자산 (주4,6,7)	50,454,235,508	30,583,940,263	42,242,480,413
매출채권 및 기타유동채권 (주4,6,8,9)	108,640,006,834	32,935,866,455	34,832,165,521
유동당기손익-공정가치측정금융자산 (주4,6,8)	5,006,121	20,999,073,954	19,888,687,459
기타유동금융자산 (주4,6,8)	45,000,000,000	78,258,129,593	70,061,025,583
기타유동자산 (주11)	5,985,452,661	941,119,530	792,345,365
재고자산 (주11)	1,587,132,866	1,606,931,902	1,292,554,704
비유동자산	188,339,241,725	142,424,075,827	124,984,571,694
유형자산 (주12)	58,326,450,419	27,235,518,097	24,524,250,489
영업권	14,201,161,191	5,991,453,320	5,991,453,320
영업권 이외의 무형자산 (주13)	3,567,672,954	2,209,752,254	2,516,058,416

실제로 금화피에스시 재무상태표를 보면 유무형자산의 비중은 매우 낮아요.

이는 당사의 사업 내용을 이해해보면 간단해요. 발전소 경정비, 유지보수라는게 딱히 거대한 생산시설(유형자산 등)을 필요로 하거나 고객관계 등의 무형자산을 통해 이익이 발생하는 사업도 아니에요. 그저 정해진 발전소들에 유지보수계약을 하고 인력을 파견하여 발전소 설비 등을 유지보수하기 때문에 영업자산이 많이 필요 없는거죠.

구분	2017	2018	2019	2020	2021
매출액	205,782	233,327	209,435	235,336	238,745
영업이익	33,864	41,385	34,327	26,994	25,617
영업이익률	16.5%	17.7%	16.4%	11.5%	10.7%

2017 ~ 21 금화피에스시의 매출액 대비 영업이익률

한편 금화피에스시의 영업이익률은 평균 14%로 영업자산이익률 93%에 비해 굉장히 낮은 수치에요. 여기서 우리는 사업의 구조에 대해 한번 더 생각해볼 수 있어요.

"영업자산이익률은 높고, 매출액 대비 영업이익률은 낮다? 이는 사업 구조 자체가 영업자산이 크게 필요하지 않고 상대적으로 매출원가나 다른 기타 비용이 더 많이 소요되는 사업이다. 이런 기업의 경우 자본적 지출비율이나 영업자산ROI보단 주요 비용 대비 이익률(예를 들어 인건비 대비), 또는 이익률 그 자체에 더 관점을 둬야 하고 매년 수주하는 계약이 꾸준히 증가하는지, 그에 따라 기업이 성장하고 있는지를 봐야겠다." 라고 말이에요.

영업자산 ROI는 이렇게 기업 내부를 분석할 뿐만 아니라 동종 업계 기업 간 분석을 할 때에도 굉장히 쓸모가 많은 자료에요.

구 분	2017	2018	2019	2020	2021
영업이익	-164,250	-98,201	57,396	-4,471	-41,518
영업자산	4,013,024	3,520,270	3,416,657	3,277,729	3,633,671
영업자산 ROI	-4.1%	-2.8%	1.7%	-0.1%	-1.1%

금호타이어 5개년 영업자산이익률

구 분	2017	2018	2019	2020	2021
영업이익	793,432	702,651	543,965	628,271	642,193
영업자산	7,362,823	7,638,628	7,651,169	7,152,514	7,632,590
영업자산 ROI	10.8%	9.2%	7.1%	8.8%	8.4%

한국타이어앤테크놀로지 5개년 영업자산이익률

구 분	2017	2018	2019	2020	2021
영업이익	185,421	182,441	207,367	39,425	4,392
영업자산	2,078,122	2,474,959	2,634,356	2,511,666	2,655,866
영업자산 ROI	8.9%	7.4%	7.9%	1.6%	0.2%

넥센타이어 5개년 영업자산이익률

국내 타이어 3개 업체의 영업자산ROI 분석입니다. 일단 금호타이어의 경우 영업이익 자체가 5개년 중 4개년이 영업손실이라 분석 대상이 안되긴 하네요.

그리고 남은 건 한국타이어와 넥센타이어입니다. 일단 한국타이어의 영업이익 자체가 가장 커요. 넥센타이어도 2017년 영업자산 ROI는 8.9%로 나쁘지 않습니다. 그러나 2020년들어 영업이익이 급감했고 영업자산ROI도 역시 급감했죠. 여기서 중요한 포인트는 한국타이어의 영업이익 수준입니다. 2017년도부터도 이미 한국타이어는 넥센 영업이익의 약 4배 가량 높은 수준이었어요.

4배 이상의 높은 이익을 뽑아내면서 영업자산이익률도 더 높은 수준이다?

이익 금액 자체를 높이는 것도 어려운데, 영업자산을 더 효율적으로 사용하고 있다면 선택의 폭은 대폭 줄어들게 되죠.

적어도 한국타이어의 경우 그 이전 주가수준은 유지 중이지만 넥센타이어는 아직 5년전 주가 수준을 회복하지 못하고 있어요.

물론 영업이익이 잘 나온다고 무조건 주가에 반영되는 건 아니지만, 시장의 불특정 다수의 수요 중에는 대다수가 객관적이고 합리적인 투자자라는 점을 인정해야 해요. 그리고 그러한 결과가 주가로 나타나는 것 아닐까요?

투자자 입장에서의 무형자산 분석

✓ 무형자산의 구성은?

✓ 인수합병으로 영업권을 무형자산으로 인식 후 무책임하게 손상차손으로 떨어(비용처리)버리지는 않는가?

✓ 유무형자산을 합친 영업자산 대비 영업이익 비율인 영업자산 ROI는 높은 수치를 보여주는가?

관계기업투자

기업이 다른 기업의 지분(주식)을 20%이상 50%미만으로 갖고 있으며, 그 보유 목적이 시세 차익이 아닌 해당 회사의 경영에 일부 참여하기 위한 목적으로 보유 중인 타회사의 지분을 의미합니다.

※ 회계학의 정의는 해당 기업에 유의적인 영향력을 발휘할 수 있을 경우 피투자회사를 관계기업이라 하고 있습니다.

기업이 갖고 있는 주식의 지분율별 재무상태표 자산의 구분

관계기업은 손익계산서의 지분법과 많은 연관이 있으므로 지분법과 함께 보시면 더 이해하기 쉬울 수 있습니다.

법인이 갖고 있는 타회사 지분의 지분율에 따라 살펴보면 위와 같이 구분할 수 있습니다.

- 50%이상을 갖고 있으면 종속기업(연결재무제표 작성 대상)
- 20%~50%는 관계기업투자(주식)
- 20%미만은 일반적인 금융자산입니다.

예시 1. 주식회사 기린이 주식회사 곰의 주식을 50%갖고 있을 경우 : 종속기업

네 알겠습니다!

사장 교체해!

=다수의 의결권을 행사하며 기업 경영에 중대한 영향을 미칠 때.

주식회사 기린이 주식회사 곰의 주식을 20%갖고 있을 경우 : 관계기업

= 종속회사와 달리 중대한 의사 결정, 경영 등에 어느 정도의 영향은 받지만 완전히 지배 관계에는 있지 않음

주식회사 기린이 주식회사 곰의 주식을 10%갖고 있을 경우 : 금융자산

= 영향력 없음

※ 관계기업투자의 금액은?

투자한 기업의 재무상태표 상에 나타나는 관계기업투자 금액은 해당 회사의 자본(자본 = 자산 – 부채) * 지분율로 나타낼 수 있습니다.

- 더 이상은 생략 -

관계기업투자의 실제 예시를 한번 보겠습니다. 삼성전자의 사업보고서에요.

삼성전자의 관계기업 상세 투자 내역입니다. 삼성전자의 관계기업 및 공동기업투자는 2021년(53기) 8,932,251백만원이네요. 그 상세 내역은 주석에서 "관계기업"이라고 검색해보면 확인해볼 수 있는데, 삼성전자는 관계기업투자로 삼성전기, 삼성SDS, 삼성바이오로직스 등의 지분을 보유하고 있습니다.

법인이 다른 법인의 지분을 20%이상 갖고 있다는 건 단순 투자 목적으로 보기엔 어렵습니다. 위 삼성전자만 봐도 알 수 있듯이, 타법인의 20% 이상의 지분은 해당 회사와의 사업적 시너지 효과를 증대시키거나 또는 원재료 등에서 협력을 받는 회사일 수 있습니다.

삼성전자는 친절하게도 관계의 성격까지 기술해놓았는데요. 삼성전자 입장에서 삼성전기는 수동소자, 회로부품 등을 맡기기 위해,

삼성SDS는 컴퓨터 프로그래밍, 시스템 관리 등을 위해 그 지분을 일부 보유하고 있습니다.

투자자 입장에서의 관계기업투자

✓ 비중이 적다면 그냥 pass.. 크다면 주석사항을 통해 어떤 회사 인지 체크.

✓ 해당 회사의 사업보고서 또는 감사보고서를 통해 동일하게 재무 제표 분석을 간단히 해보고 망해버릴 위험은 없는지 살펴봅니다.

재무상태표

자 산
유동자산

현금 및 현금성자산 ⟶ 현금 및 입출금 예금 등

재고자산 ⟶ 말가루, 아직 안팔린 초코파이 제품

매출채권 ⟶ 초코파이 팔고 아직 못받은 외상값

유동 금융자산 ⟶ 1년 내 만기 적금, 단타용 주식, 채권 등

선급금 및 선급비용 ⟶ 미리 지불한 말가루 계약금, 미리 지불한 자동차 보험료

비유동자산

유형자산 ⟶ 공장기계, 건물, 토지

무형자산 ⟶ 영업권, 개발비, 산업재산권 등

관계기업투자 ⟶ 지분 20%이상 갖고 있는 회사의 자본

비유동 금융자산 ⟶ 1년 넘는 적금, 장투용 주식, 채권

부 채
유동부채
단기차입금
매입채무
미지급금
선수금
미지급비용

비유동부채
장기차입금

자 본
생략

by 현명한 직장인

재무제표(재무상태표, 손익계산서, 자본변동표, 현금흐름표) 중 재무상태표 그 중 자산에 대해서 대부분 살펴보았습니다.

이번 편은 이제까지 살펴본 자산을 한 번 더 정리해보고 누락된 부분을 살펴보고자 합니다.

♣ 설명이 누락된 부분
- 유동자산과 비유동자산
 → 유동자산 : 1년이내 현금화할 수 있는 자산 / 비유동자산 : 1년 이상

　예시　 유동자산과 비유동자산
· 1년 이내 만기가 되는 적금 ? → "유동" 금융자산
· 외상해준지 1년이 넘어간 매출채권 ? → "장기"(=비유동) 매출채권
· 관계기업투자 ? → 팔려고 보유하는 주식이 아니므로 비유동 자산에 포함

♣ 복습

▶ 현금및현금성자산 : 당연히 많으면 좋습니다.
·매출액, 당기순익 규모에 비해 현금이 적다? → 매출채권과 재고자산의 회전율을 파악하여 잘(빠른 기간 내에) 회수되고 있는지 체크. 또는 금융자산에 배분되어 있는 것은 아닌지 확인. 그것도 아니면 벌어들인 현금이 어디로 빠져나가는지 현금흐름표를 통해

살펴볼 것.

·그런데 너무 많으면 ? → 재투자활동이 없다는 것이며 미래 성장력 확보에 소극적이라고 볼 수 있으나, 그럼에도 적은것보단 낫다..

▶ 재고자산 : 재무상태표의 핵심★ 재무상태표를 보는 목적이라 해도 과언이 아닙니다.

·10년간 재고자산회전율을 분석. 좋은 기업일수록 매출액이 증가함에도 재고자산회전율은 6~90일 이내로 일정 수준을 유지

·재고자산평가손실, 폐기손실이 많진 않은지 확인

▶ 매출채권 : 역시 재무상태표의 핵심★

·10년간 매출채권회전율 분석. 마찬가지로 매출액이 증가함에도 회전율은 유지하는 기업일수록 좋은 기업일 확률이 높음

·매출채권 대손충당금 확인. ′일반적′으로 3~5%이내가 많음

▶ 금융자산

·개인적으로는 현금성자산과 동일하게 분석합니다.

·기업이 금융자산을 보유하는 목적은 개인과 거의 비슷. 즉 남는 돈을 현금으로 안놔두고 3%짜리 이자 먹으려고 돌리는 목적이 대부분.

▶ 선급금 및 선급비용

·금액이 크면 한번 살펴봅니다.

▶ 유형자산 : 역시 재무상태표의 핵심★

·유형자산의 구성 내역을 살펴봅니다.

→기계 위주면 내용연수가 건물에 비해 짧기 때문에 감가상각비 발생↑ , 또 기계는 실제 내용연수보다 더 짧게 쓰는 경우도 많기 때문에 재투자될 텀이 짧음. 즉 새로운 기계 사기 위해 돈 나갈 일이 많음

★ 10년간 당기순이익 대비 유형자산 취득 금액의 비율을 확인.

10년간 당기순이익 대비 유형자산 취득 금액이 100%라면 10년간 번 돈 다 유형자산 취득에 갖다바친 셈. 미국 한국 할 것 없이 매출 잘 나오는 기업은 대부분 이 비율도 높음. 즉 생산설비의 막대한 투자로 많은 영업이익을 창출하고 있는 것. 그러니 상대적으로 낮은 자본적 지출 비율을 보인다면 상당한 기술적 경쟁력을 갖춘 것으로 판단.

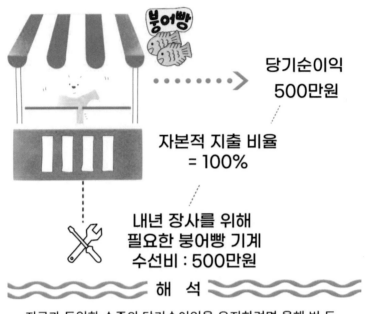

당기순이익
500만원

자본적 지출 비율
= 100%

내년 장사를 위해
필요한 붕어빵 기계
수선비 : 500만원

해 석

지금과 동일한 수준의 당기순이익을 유지하려면 올해 번 돈
(당기순이익) 대부분을 유형자산, 기계장비에 재투자 해야 함

▶ 무형자산

·자산에서 비중을 차지하면 조금 살펴봐야 합니다. 그러나 쉽지 않
음..

→ 진짜 무형자산으로서의 가치가 있는지 살펴봐야 하는데, 그럴
수록 무형자산의 본질. 즉 계정과목들의 개별 정의에 충족하는지를
생각해봐야 합니다.

이렇게 애매한 면이 있기에 신뢰성 있는 기업들은 무형자산에 대

해 보수적으로(금액을 작게) 처리하고 있습니다.

영업권은 인수합병과정에서 발생하는데, 이 금액이 크다는 내용은 즉 피합병회사의 순자산보다 높은 금액으로 인수했다는 뜻. 그렇다면 그만한 가치를 매출액과 당기순이익 증대로 보답해야 합니다.

인수 과정에서 주식을 발행했다면 주식 발행 대비 당기순이익 증가가 높아야 인정받는 인수라 할 수 있습니다. 따라서 인수 이후 주당순이익은 올랐어야 합니다.

인수 과정에서 차입금을 조달했다면 대출금을 갚을 정도의 매출, 당기순익 증대를 이뤄냈어야 합니다.

▶ 관계기업투자

·금액이 적다면 생략. 크다면 관계회사가 어디인지 살펴보고, 마찬가지로 재무분석을 해보고 망하진 않을지 살펴봅니다.

 이제까지 재무제표(재무상태표, 손익계산서, 자본변동표, 현금흐름표) 중 재무상태표, 그 중에서도 자산에 대해서 대부분 살펴보았습니다.

 지금부터는 재무상태표 부채의 각 계정들에 대해 알아보겠습니다.

재무상태표

자 산	부 채
유동자산	유동부채
현금 및 현금성자산	단기차입금
단기금융상품	매입채무
매출채권	미지급금
재고자산	선수금
	미지급비용
비유동자산	비유동부채
유형자산	장기차입금
무형자산	
관계기업투자	자 본
비유동 금융자산	생략

by 현명한 직장인

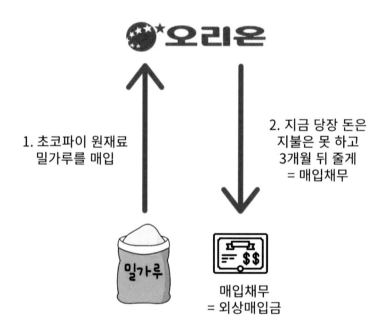

·이마트가 초코파이를 팔기 위해 매입하고 아직 지급하지 않은 대

금

☞ 재고자산과 관련되었나? → "OK" → 매입채무(O)

※ 매출채권 편에서는 오리온 입장에서 살펴봤는데, 이번 매입채무에서는 이마트의 입장에서 살펴보는 것과 같습니다.

> ### Q&A (복습)
>
> **재고자산은?**
> 원재료(밀가루), 재공품(밀가루 반죽), 제품(초코파이 완제품)
> **밀가루 반죽하는 데 들어간 인건비는?**
> 원재료 또는 재공품 재고자산에 포함
> **초코파이 생산 고장의 외벽 페인트칠을 시키고 아직 지급하지 않은 대금은?**
> 재고자산과 관련이 있는가? No → 매입채무(X) → "미지급금"(O)

미지급금과 미지급비용 (구분 생략)

기업이 자기 본업과 관련하여 생산활동에 "간접적"으로 필요한 비용을 지불하면서 아직 현금으로 지급하지 않은, 즉 갚아야 할 외상대금을 의미합니다.

잘 생각해보면, 매입채무는 매출채권과 정반대입니다.

매출채권은 기업이 본업의 활동을 통해 매출을 발생시키고 "외상

으로 판" 금액을 의미하고,

매입채무는 기업이 본업의 활동을 위해 매입을 발생시키고 "외상으로 산" 금액을 의미합니다.

심 화) 부채의 품격

기업의 부채에도 격이 있습니다. 일반적으로 우리가 생각하는 은행 차입금은 저질 부채로서 이자가 발생하기 때문에 기업에게 "이자비용"이라는 비용을 발생시킵니다.

그러나 매입채무는 이자를 지불하지 않아도 되는 격이 좋은 부채에 속합니다. 기업은 줘야할 돈(매입채무)를 더 늦게 지불할 수록 현금을 더 오래 가지고 있을 수 있고, 그만큼 예금해놓고 이자수익이라도 더 받을 수 있기 때문입니다.

게다가 매입채무의 경우 일반적으로 매출액이 꾸준히 증가하고 재고자산의 회전이 좋다면 매입채무가 꾸준히 증가하는 것도 좋은 모습이라고 할 수 있습니다. 그만큼 외상으로 매입해놓은 재고자산이 많은 상태이고 이는 기업의 영업활동을 통해 재고자산이 회전(팔리며)하여 매출로 이어지기 때문이죠.

※ 매입채무, 미지급금 확인은 어디에서?

DART 내에서 해당 기업의 사업, 분기 또는 반기 보고서 검색 → 연결재무제표의 재무상태표에서 확인하실 수 있고, 그 상세내역은,

매입채무는 "연결재무제표 주석"에서 "매입채무"로 검색하시어 확인해보실 수 있습니다.

※ 대부분의 기업이 매입채무에 더 상세한 내역은 대부분 공시하진 않습니다. 분석하실 때에는 단순히 매입채무는 재고자산의 매입 활동과 관련된 미지급액 정도로만 생각하면 될 것 같습니다.

※ 미지급금 또한 마찬가지로 주석에서 "미지급금"으로 검색하시면 찾아보실 수 있습니다.

요?

재무상태표에는 "비유동부채"에서 "장기매입채무 및 기타비유동채무"라고 표기해놓고 주석을 살펴보면 막상 매입채무는 유동매입채무만 117,063,134천원이 존재하고 비유동부분은 존재하지 않습니다. 즉 "장기"매입채무 자체는 없는 것이죠.

단지 매입채무 및 기타채무 중 비유동 미지급금이 782,804천원 존재하는데, 오리온 회계담당자는 매입채무 및 기타비유동채무라는 계정과목을 Set 메뉴로 쓰고 싶었는지 굳이 분리하지 않았어요. 즉 매입채무(유동) , 유동채무, 비유동채무로 구분하면 되는데, 유동채무에 매입채무 및 기타유동채무라고 썼으니, 비유동채무에도 매입채무 및 기타비유동채무라는 계정과목을 어지간히 쓰고 싶었던 것으로 보입니다. = 직장인의 귀차니즘..

이처럼 재무상태표가 감사를 받는다고 해서 이렇게 자잘한 부분의 실수까지 감사를 보진 않습니다. 그래서 이런 실수들이 나오니, 혹시나 틀린 부분이 있더라도 그대로 보지 마시고 한번 더 확인해 보시기 바랍니다.^^

투자자 입장에서의 매입채무

✓ 매입채무의 규모는 큰 문제는 없음. 다만 어느 한해 급격히 증가할 경우 다음 해 재고자산이 늘어날 가능성이 있음. 이러한 재고를 회전시켜 매출을 제대로 증대시킬 수 있는지 연계되는 개념.

차입금

은행이나 다른 기업체로부터 빌리거나 아니면 타인에게 사채를 발행하여 이자를 주고 빌린 돈입니다.

※ 차입금의 반대는? 대여금 : 이자를 받고 빌려준 돈(= 자산)

※ 차입금 확인하는 곳.

1차적으로 차입금은 연결재무제표 상의 재무상태표 → 부채 내역에서 확인하실 수 있으며, 장기차입금은 만기가 1년 이상, 단기차입금은 만기가 1년 이내 도래하는 차입금을 의미합니다.

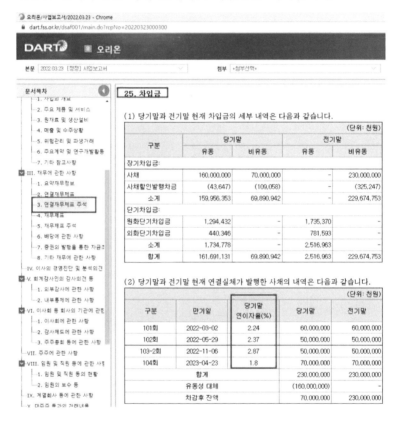

(3) 당기말과 전기말 현재 단기차입금의 내역은 다음과 같습니다.

(단위: 천원)

차입처	내역	당기말 연이자율(%)	당기말	전기말
국민은행	유산스차입금	Libor 3M+0.3	34,024 (USD 28,700)	67,456 (USD 62,000)
	매입외환	Libor 1M+1	406,322 (USD 342,743)	98,547 (USD 90,576)
신한은행	유산스차입금	-	-	615,590 (EUR 460,000)
현대카드	채권구매카드	1.44	1,294,432	1,735,370
합계			1,734,778	2,516,963

(4) 담보제공자산

당기말 현재 연결실체의 채무를 위하여 담보로 제공되어 있는 자산의 내역은 없습니다.

(5) 당기말과 전기말 현재 차입금의 장부금액 및 공정가치는 다음과 같습니다.

(단위: 천원)

구분	당기말		전기말	
	장부금액	공정가치	장부금액	공정가치
단기차입금(유동성장기차입금 포함)	161,691,131	161,691,131	2,516,963	2,516,963
장기차입금	69,890,942	69,996,899	229,674,753	230,007,652
합계	231,582,073	231,688,030	232,191,716	232,524,615

세부내역은 역시 "연결재무제표 주석"에서 설명하고 있습니다.

위 오리온의 경우 차입금은 장기차입금으로 사채, 단기차입금으로는 원화 및 외화 단기차입금으로 나오고, 장기차입금으로 분류된 사채는 이자율 1.8% ~ 2.87%까지로 발행한 내역, 단기차입금은 국민은행과 신한은행 등에서 차입하였으며 담보 제공 내역은 없는 것으로 나옵니다.

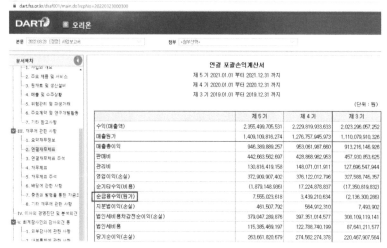

본문 2022.03.23 [정정] 사업보고서　　　　첨부 +첨부선택+

문서목차
- 1. 사업의 개요
- 2. 주요 제품 및 서비스
- 3. 원재료 및 생산설비
- 4. 매출 및 수주상황
- 5. 위험관리 및 파생거래
- 6. 주요계약 및 연구개발활동
- 7. 기타 참고사항
- III. 재무에 관한 사항
  - 1. 요약재무정보
  - 2. 연결재무제표
  - 3. 연결재무제표 주석
  - 4. 재무제표
  - 5. 재무제표 주석
  - 6. 배당에 관한 사항
  - 7. 증권의 발행을 통한 자금조
  - 8. 기타 재무에 관한 사항
- IV. 이사의 경영진단 및 분석의견
- V. 회계감사인의 감사의견 등
  - 1. 외부감사에 관한 사항
  - 2. 내부통제에 관한 사항

연결 포괄손익계산서

제 5 기 2021.01.01 부터 2021.12.31 까지
제 4 기 2020.01.01 부터 2020.12.31 까지
제 3 기 2019.01.01 부터 2019.12.31 까지

(단위 : 원)

	제 5 기	제 4 기	제 3 기
수익(매출액)	2,365,499,705,531	2,229,819,933,633	2,023,296,057,252
매출원가	1,409,109,816,274	1,276,757,945,973	1,110,079,910,326
매출총이익	946,389,889,257	953,061,987,660	913,216,146,926
판매비	442,663,562,697	428,868,962,953	457,930,853,625
관리비	130,816,419,158	148,071,011,911	127,696,547,944
영업이익(손실)	372,909,907,402	376,122,012,796	327,588,745,357
순기타수익(비용)	(1,879,148,936)	17,224,878,837	(17,350,819,832)
순금융수익(원가)	7,555,023,618	3,439,210,634	(2,136,300,286)
지분법이익(손실)	461,507,792	564,912,310	7,493,902
법인세비용차감전순이익(손실)	379,047,289,876	397,351,014,577	308,109,119,141
법인세비용	115,385,469,197	122,788,740,199	87,641,211,577
당기순이익(손실)	263,661,820,679	274,562,274,378	220,467,907,564

31. 금융수익과 금융원가

당기와 전기 중 금융수익과 금융원가의 내역은 다음과 같습니다.

(단위: 천원)

구분	당기	전기
금융수익:		
이자수익	14,198,665	11,061,054
배당금수익	259,324	1,595,287
외환차익	1,207,675	186,040
외화환산이익	83,876	469,022
소계	15,749,540	13,311,403
금융원가:		
이자비용	(6,389,281)	(7,362,309)
외환차손	(1,353,592)	(2,351,691)
외화환산손실	(29,830)	(158,192)
당기손익-공정가치 측정 금융자산 평가손실	(421,813)	-
소계	(8,194,516)	(9,872,192)
순금융수익	7,555,024	3,439,211

차입금이 있다 = 이자비용이 발생한다

　손익계산서 상의 금융비용에는 이러한 차입금에 따른 이자비용
이 포함되며, 차입금이 과다할 경우 이 이자비용이 금융비용에 많
은 비용을 차지하게 됩니다. 그렇게 되면 결국,

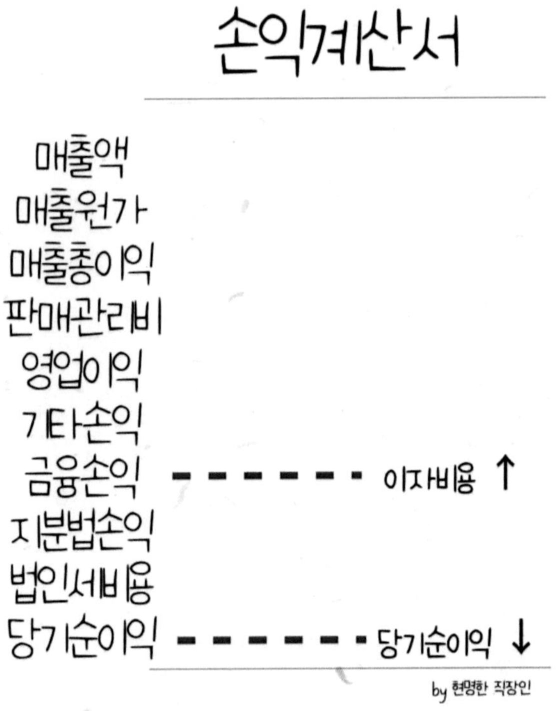

손익계산서

매출액
매출원가
매출총이익
판매관리비
영업이익
기타손익
금융손익 - - - - - - - - ▶ 이자비용 ↑
지분법손익
법인세비용
당기순이익 - - - - - - - ▶ 당기순이익 ↓

by 현명한 직장인

당기순이익은 이자비용의 영향을 받아 줄어들게 되겠죠?^^

영업이익은 이자비용, 즉 금융손익 위의 칸에 있기 때문에 이자
비용이 얼마든 영업이익에는 영향이 없답니다.

실전 사례) 차입금와 이자비용, 당기순이익 비교 분석

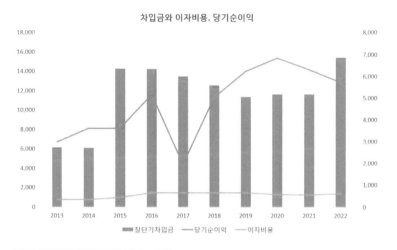

차입금와 이자비용, 당기순이익

LockHeed Martin	2018	2019	2020	2021	2022
장단기차입금	12,604	11,404	11,669	11,670	15,429
차입금/현금성자산	1633%	753%	369%	324%	606%
당기순이익	5,046	6,230	6,833	6,315	5,732
이자비용	668	653	591	569	623
이자비용/당기순익	13.2%	10.5%	8.6%	9.0%	10.9%
기존 당기순이익률	9.4%	10.4%	10.4%	9.4%	8.7%
개선 당기순이익률	10.6%	11.5%	11.4%	10.3%	9.6%

 미국 군수, 방위산업체 LockHeed Martin의 차입금과 이자비용 분석

 미국 소재 항공우주 및 세계최대 방위산업체인 록히드마틴 (Lockheed Martin)의 차입금과 이자비용 분석 예시입니다.

 먼저 차입금은 재무상태표에 있는 장단기차입금을 합하여 계산합니다. 이를 재무상태표 현금성자산과의 비율로 계산해보면 차입금이 현금의 몇%정도의 규모를 차지하는 지 알 수 있습니다.

록히드마틴의 경우 차입금이 현금 대비 6배에서 많게는 16배까지 차지하는 경우가 있었습니다. 언뜻 보면 록히드마틴의 재무가 굉장히 불안해보일 수 있지만 실질적으로는 이자비용과 당기순이익까지 비교해봐야 정확히 알 수 있습니다.

이자비용은 우리가 손익계산서에서 살펴봤던 주석의 금융비용(미국은 손익계산서에 표기)을 통해 확인할 수 있습니다. 이러한 이자비용을 당기순이익에 나눠보면 당기순이익의 몇%가 이자비용으로 부담되는 지를 확인할 수 있습니다.

록히드마틴은 보통 당기순이익의 10%가량이 이자비용으로 지출되고 있어 제법 큰 비중을 차지하는 모습입니다. 만약 차입금으로 인한 이자비용이 없다면 당기순이익은 1%가량 개선할 수 있을 듯 합니다.

그런데 이런 분석을 해보면, 이익이 뒷받침되는 미국 기업들의 경우 대부분 이 정도 비율을 차지하는 것 같다는 점을 느끼게 됩니다. 보통 당기순이익의 10%내외, 개선 당기순이익률 1% 내외로 이자비용을 경영상 조절하는 듯한 분위기인데, 그럼에도 제 개인적인 생각은 차입금을 줄여 이자비용을 줄이는 것이 더 지속가능한 경영에 더 가깝지 않을까 생각합니다.

투자자 입장에서의 차입금

✓ 본편과 손익계산서 금융비용 편에 나온 이자비용 분석틀에 따라 분석

✓ 아무리 이익을 잘 뽑아내도 이자비용으로 당기순이익이 크게 저해되면 신뢰있는 투자 대상 기업으로는 글쎄..

선수금

선수금은 기업이 본인들의 제품이나 용역을 소비자에게 제공하기 전에 미리 받은 돈을 의미합니다.

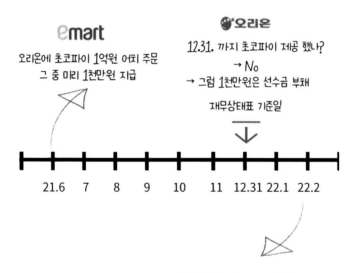

이마트에서 오리온에 초코파이 1억원어치의 대량 구매 계약을 체결. 이를 위해 미리 계약금 1,000만원을 지급한다면?

오리온 입장에서 1,000만원은 아직 초코파이를 보내주지도 않았는데 미리 받았으므로 선수금(부채로)으로 인식

Q&A

선수금은 왜 부채일까?

오리온은 1,000만원을 돈으로 갚아야 하는 건 아니지만 대신 초코파이라는 본인들의 제품을 제공해야 할 의무가 있어요.

회계학에서 부채란 반드시 현금으로 갚아야 하는 것이 아니라 돈 이외에도 미래에 제품, 용역 등 무엇으로든 제공해야 할 의무가 있다면 부채로 인정하고 있습니다.

※ 선수수익 : 기업이 본인들의 제품이나 용역 외에 다른 것에 대해 미리 받은 수익을 의미합니다.

ex) 12월31일 기준하여 미리 받아놓은 1년치 임대료, 이자수익 등

※ 선수금 확인은 어디에?

 어라? 연결재무제표 안의 연결재무상태표에서 선수금
계정과목이 보이지 않습니다?
→ 근데 주석에서 검색해보니,

27. 기타부채

당기말과 전기말 현재 기타부채의 세부 내역은 다음과 같습니다.

(단위 : 천원)

구분	당기말		전기말	
	유동	비유동	유동	비유동
선수금(*)	44,626,984	–	37,156,365	–
선수수익	1,703	–	2,163	381
품질보증충당부채	1,937,839	–	2,863,526	–
기타	167,308	1,026,852	127,549	827,517
합계	46,733,834	1,026,852	40,149,603	827,898

(*) 당기말과 전기말 현재 선수금은 전액 고객과의 계약에서 생기는 수익과 관련하여 인식하고 있는 계약부채입니다.

아, 기타유동부채, 기타비유동부채에 선수금이 포함되어 있었습니다. 선수금 외에도 선수수익, 품질보증충당부채 등도 합쳐서 기타부채로 포함해놓은 모습을 볼 수 있습니다.

삼성전자는 선수금을 아예 밖으로 끄집어 내놨어요.

이처럼 계정과목을 밖으로 빼놓을지, 그냥 기타부채로 해놓고 안에다 다 합쳐놓을지 또한 기업 선택이기 때문에 주석사항을 반드시 살펴봐야 한답니다.

착한 부채 선수금

선수금은 부채임에도 "현금" 자체가 나갈 일이 없습니다.

오히려 기업이 본업과 관련하여 추후 미리 제공해야 할 제품이나 용역에 대한 증거이기 때문에 선수금이 많다는 뜻은 그만큼 추후에 제품이나 용역을 제공하고 매출이 더 증가할 것이라는 예측을 할 수 있어요.

+ 게다가 이자도 발생하지 않기 때문에 사랑스러운 부채일 수 밖에 없답니다.

★ 재무상태표를 살펴보실 때 부채가 많을 경우. 혹시 선수금은 아닌지 살펴보시길 바랍니다^^

실전 사례) 부채비율계산, 애플의 이유있는 부채

부채비율의 정의는 기업이 갖고 있는 자산 중 부채가 얼마 정도 차지하고 있는가를 나타내는 비율로 기업의 재무구조 특히 타인자본 의존도를 나타내는 대표적인 경영지표입니다.

부채비율
= [타인자본(부채총계)÷자기자본(자본총계)]×100(%)

상환해야 할 타인자본(부채총계)에 대해 자기자본이 어느 정도 준비돼 있는가를 나타내는 부채비율은 기업의 건전성을 평가하는 중요한 지표가 됩니다.

그럼 세계 단일 종목 시가총액 1위의 기업 애플을 살펴볼까요?

구분	2018	2019	2020	2021	2022
[[자산총계]]	365,725	338,516	323,888	351,002	352,755
[[부채총계]]	258,578	248,028	258,549	287,912	302,083
[[자본총계]]	107,147	90,488	65,339	63,090	50,672
부채비율	241.3%	274.1%	395.7%	456.4%	596.2%

애플의 자산, 부채, 자본 그리고 부채비율

2022년 부채비율은 596.2%로 애플 역사상 가장 높은 부채비율을 기록하고 있습니다. 그럼 애플은 재무구조가 좋지 않은 부실한 기업일까요?

먼저 애플의 재무구조를 이해하려면 사업을 어떻게 운영하고 있는지를 이해해야 합니다.

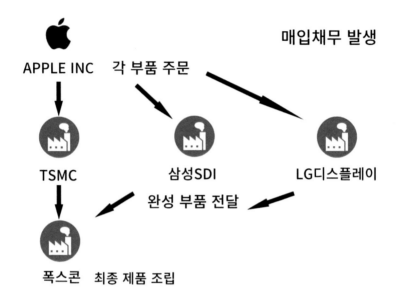

애플은 독자적인 생산시설을 가지고 있지 않습니다. 따라서 반도체부터 디스플레이까지 모든 부품을 각 나라 별개의 기업들에게 주문을 하고 휴대폰의 최종 조립까지(대부분은 중국 내) 다른 기업들을 통해 시키고 있습니다.

그럼 애플이 다른 기업에게 제품을 주문할 때는 매입채무(Accounts payable)나 이와 관련된 기타 유동부채(Other current liabilities)가 발생하게 됩니다. 즉 본인들이 직접 생산하지 않는 대신 제품의 모든 부분을 외주화시킴으로써 그만큼 매입채무나 기타 유동부채의 규모가 커지게 되는 것이죠.

추가적으로 설명을 드리자면, 애플의 재무제표 자산 계정에 보면 Vendor non-trade receivables라는 계정이 있습니다.

Current assets:			
Cash and cash equivalents	$	23,646	$ 34,940
Marketable securities		24,658	27,699
Accounts receivable, net		28,184	26,278
Inventories		4,946	6,580
Vendor non-trade receivables		32,748	25,228
Other current assets		21,223	14,111
Total current assets		135,405	134,836

이는 선급금과 비슷한 개념인데, 정확히는 제품의 생산과 직접 연관된 선급금입니다.

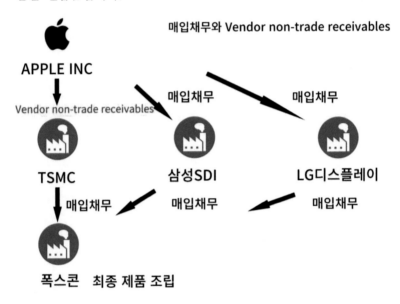

매입채무와 Vendor non-trade receivables

아이폰을 생산하기 위한 각 부품을 주문하는 과정에서, 애플은 어떤 기업에게는 계약금, 선급금 형식으로 미리 대금을 지불하고 주문하는 반면, 어떤 기업에게는 주문을 다 하고 부품이 생산된 뒤에 대금을 지불하는 구조를 가지고 있습니다.

이에 먼저 부품회사에 지급한 대금을 Vendor non-trade receivables(자산), 그리고 부품회사가 부품을 다 만들고 나서 이후에 지급하는 부채를 Accounts payable(매입채무, 부채)로 구분하고 있습니다.

※ 개인적으로는 이렇게 슈퍼 을의 입장에서 계약금까지 받으며 부품을 생산해 주는 기업은 TSMC가, 매입채무는 그 이외 부품 제조기업들이 아닐까 싶습니다.

그리고 나머지 부채는 대부분 Term debt 즉 차입금이나 사채발행분입니다.

Current liabilities:		
Accounts payable	$	64,115
Other current liabilities		60,845
Deferred revenue		7,912
Commercial paper		9,982
Term debt		11,128
Total current liabilities		153,982
Non-current liabilities:		
Term debt		98,959
Other non-current liabilities		49,142
Total non-current liabilities		148,101
Total liabilities		302,083

그럼 과연 애플은 돈이 부족해서 사채나 차입금을 차입하는 것일까요?

		2022	
	Maturities (calendar year)	Amount (in millions)	Effective Interest Rate
2013 – 2021 debt issuances:			
Floating-rate notes		$ ≡	
Fixed-rate 0.000% – 4.650% notes	2022 – 2061	106,324	0.03% – 4.78%
Fourth quarter 2022 debt issuance:			
Fixed-rate 3.250% – 4.100% notes	2029 – 2062	5,500	3.27% – 4.12%
Total term debt		111,824	
Unamortized premium/(discount) and issuance costs, net		(374)	
Hedge accounting fair value adjustments		(1,363)	
Less: Current portion of term debt		(11,128)	
Total non-current portion of term debt		$ 98,959	

보면 만기 2061년채 고정금리 사채의 최고 이자율이 4.1~4.6%
입니다. 물가 상승률을 따지면 거의 이자가 없는 셈이죠.

애플은 이렇게 발행한 사채 차입금을 통해 배당, 자사주를 취득하
여 주주환원율 100%를 넘기는 반면, 막대한 매입채무 등에도 사
용하고 있겠죠.

구분	2013	2014	2015	2016	2017	2018	2019	2020	2021	2022
투자활동현금흐름	-33,774	-22,579	-56,274	-45,977	-46,446	16,066	45,896	-4,289	-14,545	-22,354
토지등유형자산매입	-8,165	-9,571	-11,247	-12,734	-12,451	-13,313	-10,495	-7,309	-11,085	-10,708
합병,분업양수도현금유출	-496	-3,765	-343	-297	-329	-721	-624	-1,524	-33	-306
영업기초자산유출(매입)	-24,042	-9,017	-44,417	-32,022	-33,542	30,845	58,093	5,335	-2,819	-9,560
자본적지출비율	-19.6%	당기순익누계	590,660	CAPEX누계	-115,516					

애플의 자본적 지출 비율

한편 애플의 자본적 지출 비율을 보면 10년 누계 비율이 19%밖
에 되지 않습니다. 그만큼 유형자산 등 capa 취득이나 인수합병이
없었다는 뜻이죠.

그렇지만 사업구조를 놓고 보면 이해가 가게 되죠? 생산 활동을
전부 다른 기업을 통해 외주화했기에 애플 자체는 capa 시설이 필

요가 없기 때문입니다.

 이렇게 부채 비율을 계산하고 나서, 부채비율이 왜 높은지, 또는 왜 낮은지를 보다 보면 그 이외 다른 재무적 상황까지 이해할 수 있는 부분이 생기게 됩니다.

 항상 비율 뒤에 감춰져 있는 사실들을 캐치해야 기업의 진짜 본 모습에 한걸음 더 다가갈 수 있지 않을까요?

투자자 입장에서의 선수금

✓ 선수금 = 착한 부채

✓ 부채비율이 높은데 차입금이 아니라 매입채무나 선수금이 많아 부채비율이 높다면 재무상태가 나쁘다고 판단할 수 없음

 이제까지 재무제표(재무상태표, 손익계산서, 자본변동표, 현금흐름표) 재무상태표, 그 중에서도 부채에 대해서 대부분 살펴보았습니다

재무상태표

자 산	부 채
유동자산	유동부채
현금 및 현금성자산	단기차입금 → 만기가 1년이내 도래하는 은행의 차입금
재고자산	매입채무 → 밀가루 사고 아직 안 갚은 영업대금
매출채권	미지급금 → 공장 외벽 도색시키고 안 갚은 비영업대금
유동 금융자산	선수금 → 거래 상대방이 미리 지급한 초코파이 대금, 계약금 형식으로 받은 돈
선급금 및 선급비용	미지급비용 → 미지급금과 비슷. 구분실익 없음
비유동자산	비유동부채
유형자산	장기차입금 → 만기가 1년 이후 도래하는 은행 차입금
무형자산	
관계기업투자	자 본
비유동 금융자산	생략

by 현영한 직장인

자산과는 다르게 부채는 사실 "매입채무, 장단기차입금, 선수금, 미지급금, 미지급비용" 부류에서 크게 벗어나는 종류가 없습니다.

따라서 이번 편은 지난 시리즈에서 다룬 부채를 정리(복습)하고, 다루진 않았으나 간간히 나오는 부채들에 대해 간단히만 살펴보고 넘어가도록 하겠습니다.

다시 한 번 말씀드리자면, 본 설명은 투자자 분들께서 재무제표를 쉽게 읽기 위해서 설명을 드리는 자료입니다. 따라서 회계학적 구분에 따라 계정과목을 분류해놓았더라도 사실상 투자 의사 결정과정에 큰 영향력이 없다고 판단되는 부분은 과감히 생략하였습니다.

복 습

▶ 장단기차입금 : 보고기간(보통 12월 31일) 기준 만기가 1년 이내 도래하면 단기차입금, 1년 이후면 장기 차입금

→ 부채에서 질이 나쁜 부채(= 이자라는 "비용"이 발생하기 때문)

★ "차입금에 따른 이자 비용"은 "주석"에서 확인 가능

회사가 발행한 회사채(사채)도 "차입금" 계정과목 안에 넣을 수도 있고, 아니면 은행에서 대출해 온 대금만 차입금이란 계정과목으로 표시하고 회사가 발행한 사채는 따로 사채라는 계정과목으로 별도 표기할 수 있음. 회사 선택 = 주석으로 확인

▶ 매입채무 : 재고자산(원재료, 재공품, 제품)을 직접적으로 매입하는 과정에서 지급했어야 하나 아직 지급하지 않은 영업대금

→ 부채에서 질이 좋은 편(안 준다고 이자가 발생하지 않음)

★ 매입채무는 재고자산의 회전율과 같이 분석할 것. 재고의 회전이 빠르다면, 즉 재고자산이 금방금방 팔려 나간다면, 이를 위해 발생한 매입채무(부채)가 많다고 해서 부정적으로 볼 필요 없음. 한편 반대의 경우. 즉 재고 회전이 매년 느려지면서 매입채무가 쌓이고 있다면 부정적인 시그널.

재고자산이든, 매출채권이든 매입채무든, 단기간이 아니라 장기간 분석해야 하는 이유! 단기간 분석만 하면 원래 이런 회사인지 구분이 어려움.

▶ 미지급금, 미지급비용

→ 투자에 있어 구분 실익 없음

☞ 판단근거 : 다른 항목들이 투자에 적합하다고 판단되었을 때, 미지급금과 미지급비용의 구분이 과연 현 투자 선택에서 영향을 줄 일이 있을까? → 없다고 판단.

→군이 비교하자면 미지급금은 "지급기일"이 지난 것. 미지급비용은 회계연도말(12월31일) 기준 현금은 지급되지 않았지만 회사에선 비용으로 처리한 부분.

→ 역시 이자비용이 발생하지 않기 때문에 차입금이 많은 것보단 좋음

◆ 설명이 누락된 부분

▶ 확정급여부채

☞ 기업이 직원들 퇴직금 주기 위해 기금에 출연. 여기에 돈을 내고 기금에서 투자활동을 통해 기업은 퇴직금을 마련.
(퇴직금은 투자결과 상관없이 기업이 부담 = 한달에 10만원 줄게 라고 했으면 투자가 어찌됐든 기업은 퇴직자에게 10만원 지급)

→ 여기서 기업이 줘야 할 총 퇴직금이 기금에 출연하여 운영하고 있는 자산보다 많으면 확정급여부채, 많으면 확정급여자산

※ 간혹 미국 기업에서 확정급여부채가 부채에서 상당한 비중을 차지하는 모습을 볼 수 있는데 이런 기업이 아니고는 pass..

▶ 이연법인세부채

☞ 내년에 현금으로 더 내야할 법인세

▶ 충당부채

☞ 기업 입장에서 나중에 뭔가 돈이 더 나갈 것 같은데... 나갈 것 같기도 하고 아닐 것 같기도 하고, 아리송한 부분을 미리 부채로 잡아놓는 것

충당부채 예시

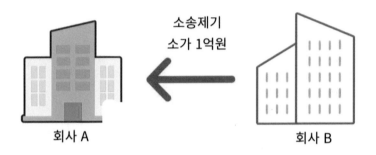

소송제기
소가 1억원

회사 A   회사 B

 A회사는 소송에서 패소할 확률이 높을 것으로 판단

→ 패소시 지급할 1억원을 미리 비용으로 인식하고,
그 금액을 그대로 소송충당부채 1억원으로 인식

※ 아리송하다고 해서 막 잡는 것은 아니고 ^^; 기업 나름대로 추정치, 이를테면 과거 발생 비율 등을 파악하여 일정 비율을 충당부채로 계상한답니다..

[재무제표 분석하기] 23편. 자본 부문 정리(자본변동표, 자사주, 유무상증자 확인)

이제까지 재무제표(재무상태표, 손익계산서, 자본변동표, 현금흐름표) 중 재무상태표자산, 부채에 대해 살펴보았습니다.

재무상태표 마치고 넘어가려했으나, 영 자본 쪽을 다루지 않아..자본을 직접적으론 아니고, 대신 자본변동표, 회사의 주식수 확인하는 방법, EPS(주당순이익)에 대해 간단히 설명하고 넘어가도록 하겠습니다.

자본 (= 순자산) = 자산 - 부채

※ 투자 목적에서 그 이상 그 이하 아무것도 아님.

자본변동표 : 자본의 변동 내역을 기입한 표

◆ 자본변동표 확인하는 법

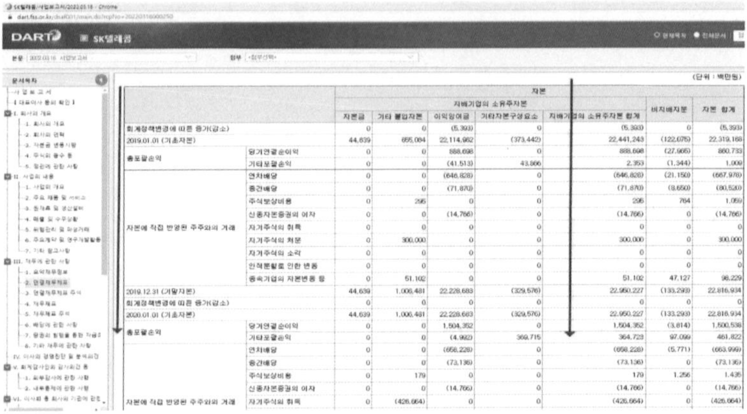

		자본						
		지배기업의 소유주지분					비지배지분	자본 합계
		자본금	기타 불입자본	이익잉여금	기타자본구성요소	지배기업의 소유주지분 합계		
회계정책변경에 따른 증가(감소)		0	0	(5,393)	0	(5,393)	0	(5,393)
2019.01.01 (기초자본)		44,639	665,084	22,114,962	(373,442)	22,441,243	(122,075)	22,319,168
총포괄손익	당기연결순이익	0	0	888,698	0	888,698	(27,965)	860,733
	기타포괄손익	0	0	(41,513)	43,866	2,353	(1,344)	1,009
자본에 직접 반영된 주주와의 거래	연차배당	0	0	(646,828)	0	(646,828)	(21,150)	(667,978)
	중간배당	0	0	(71,870)	0	(71,870)	(8,650)	(80,520)
	주식보상비용	0	295	0	0	295	764	1,059
	신종자본증권의 이자	0	0	(14,766)	0	(14,766)	0	(14,766)
	자기주식의 취득	0	0	0	0	0	0	0
	자기주식의 처분	0	300,000	0	0	300,000	0	300,000
	자기주식의 소각	0	0	0	0	0	0	0
	인적분할로 인한 변동	0	0	0	0	0	0	0
	종속기업의 자본변동 등	0	51,102	0	0	51,102	47,127	98,229
2019.12.31 (기말자본)		44,639	1,006,481	22,228,683	(329,576)	22,950,227	(133,293)	22,816,934
회계정책변경에 따른 증가(감소)		0	0	0	0	0	0	0
2020.01.01 (기초자본)		44,639	1,006,481	22,228,683	(329,576)	22,950,227	(133,293)	22,816,934
총포괄손익	당기연결순이익	0	0	1,504,352	0	1,504,352	(3,814)	1,500,538
	기타포괄손익	0	0	(4,992)	369,715	364,723	97,099	461,822
자본에 직접 반영된 주주와의 거래	연차배당	0	0	(658,228)	0	(658,228)	(5,771)	(663,999)
	중간배당	0	0	(73,136)	0	(73,136)	0	(73,136)
	주식보상비용	0	179	0	0	179	1,256	1,435
	신종자본증권의 이자	0	0	(14,766)	0	(14,766)	0	(14,766)
	자기주식의 취득	0	(426,664)	0	0	(426,664)	0	(426,664)

DART에서 해당 기업의 사업,반기,분기 보고서 검색 후 → 연결 재무제표 → 자본변동표 확인.

자본변동표 체크사항✓

유상증자, 무상증자, 자사주 취득-처분내역 등 내 주식에 직접적으로 영향이 있는 항목

※ 자본변동표는 다른 재무제표와는 다르게 세로방향(위에서 아래)로 읽습니다.

보통 3년치를 공시하기 때문에 맨 위는 3년전. 2021년 기준으로 2019년 1월부터 시작하여 2021년 12월 31일까지로 끝나게 됩니다.

※ 유상증자와 무상증자

·유상증자 : 돈 받고 주식을 새로 발행

·무상증자: 주식 수만 더 늘림(기존 주주들의 주식수가 더 늘어남)

☞ 확인하는 곳

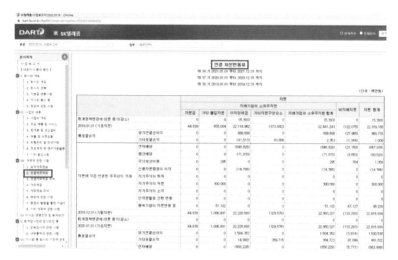

　　DART에서 해당 기업의 사업,반기,분기 보고서 검색 후 → 연결
재무제표 → 자본변동표 확인.

　※ 기업별로 유상증자라는 말 대신 보통주의 발행이라고 표기하
는 곳도 있습니다.

　★ 유상증자 외에도 자본변동표에는 교환사채, 신주인수권부사채
등도 확인하실 수 있습니다.

☞ 최종 주식수 확인하는 곳은?

→ 사업, 반기, 분기 보고서 상에 왼쪽 상단에 보면 "주식의 총수"
로 구분해놓은 메뉴에서 확인하실 수 있습니다.

·발행할 주식의 총수: 기업이 "우리는 몇주까지 발행할 수 있다"
는 다짐

·발행주식의 총수: 현재 발행되어 있는 주식수

·유통주식수: 발행되어 있는 주식수에서 자기주식을 뺀 수

발행주식의 총수 vs 유통주식수

이 둘의 차이는 자기주식수입니다. 만약 기업이 주주이익재고를 위한 자사주 소각을 위해, 그리고 이전에도 그러한 내역이 있으면 "유통주식수"로 기업과 해당 주식의 가치를 평가해야 하며, 단순히 자사주를 통해 타기업, 자사 직원에게 부여하기 위해 갖고 있는 경우에는 발행주식의 총수로 평가하는 것이 더 바람직합니다. (개인의견)

★ 자기주식(자사주) 취득 및 처분 내역

2021.01.01 (기초자본)		44,639	677,203	22,981,913	40,139	23,743,894	652,349	24,396,243
총포괄손익	당기연결순이익	0	0	2,407,523	0	2,407,523	11,466	2,418,989
	기타포괄손익	0	0	26,371	1,039,551	1,065,922	296,270	1,362,192
	연차배당	0	0	(641,944)	0	(641,944)	(25,771)	(667,715)
	중간배당	0	0	(955,804)	0	(955,804)		(955,804)
	주식보상비용	0	75,498	0	0	75,498	12,124	87,622
	신종자본증권의 이자	0	0	(14,766)	0	(14,766)		(14,766)
자본에 직접 반영된 주주와의 거래	자기주식의 취득	0	(76,111)	0	0	(76,111)	0	(76,111)
	자기주식의 처분	0	57,017	0	0	57,017		57,017
	자기주식의 소각	0	1,965,952	(1,965,952)	0	0	0	0
	인적분할로 인한 변동	(14,146)	(14,460,588)	0	(344,452)	(14,819,186)	(186,211)	(15,005,397)
	종속기업의 자본변동 등		137,303			137,303	(4,435)	132,868
2021.12.31 (기말자본)		30,493	(11,623,726)	22,437,341	735,238	11,579,346	755,792	12,335,138

자본변동표 또한 금액 단위(천원 또는 백만원)이기 때문에 자사주의 취득 처분, 소각 내역도 금액 단위입니다.

위 자본변동표를 보면, 자사주의 취득이 (76,111)백만원인데, 이는 76,111백만원어득치 자사주를 취득하였다는 내용이고, 이는 현금이 이만큼 나갔다는 내용이므로, 현금흐름표에도 이와 같은 금액을 확인하실 수 있습니다.

재무활동으로인한현금유출액	(3,850,435)	(4,957,221)	(2,733,942)
단기차입금의 순감소	50,823	0	59,860
장기미지급금의 상환	426,267	428,100	428,153
사채의상환	890,000	975,500	940,000
장기차입금의상환	286,868	1,950,874	89,882
배당금의 지급	1,028,520	742,136	718,698
신종자본증권의 이자지급	14,766	14,766	14,766
리스부채의 원금 상환	431,674	412,666	443,238
자기 주식의 취득	76,111	426,664	0
인적분할로 인한 현금유출	626,000	0	0
비지배주주와의 거래	19,406	6,515	39,345

한편 자사주의 처분은 자기주식을 팔거나 부여했다는 의미입니다. 즉 "판매"가 아닌 처분이므로 반드시 현금을 받고 판 것이 아니라, 직원 또는 타기업에 부여할 수 있습니다. 실제 위의 예시에서 보면, 자사주 처분은 자본변동표 상 57,017백만원 + 인데 현금흐름표상 유입된 현금은 없습니다.

재무활동으로인한현금흐름	(2,053,611)	(1,457,579)	(686,674)
재무활동으로 인한 현금유입액	1,796,824	3,499,642	2,047,268
단기차입금의 순증가	0	76,375	0
사채의 발행	873,245	1,420,962	1,633,444
장기차입금의 차입	350,000	1,947,848	0
당기손익인식 금융부채의 증가	129,123	0	0
파생상품거래로인한현금유입	332	36,691	12,426
자기주식의 처분	0	0	300,000
비지배주주와의 거래	444,124	17,766	101,398

여기선 굳이 주석을 찾지 않아도 "아 회사가 자사주를 돈을 받고 판 것이 아니라 공짜로 타인에게 준 것"을 추정할 수 있습니다.

→ 자세한 내역은 주석을 확인해보면 되는데,

(2) 당기 및 전기 중 자기주식의 변동내역은 다음과 같습니다.

(단위: 주)

구 분	당 기	전 기
기초 자기주식수	9,418,558	7,609,263
취득(*1)	288,000	1,809,295
처분(*2)	(626,740)	-
소각(*3)	(8,685,568)	-
주식분할(*4)	1,577,000	-
인적분할(*5)	(719,955)	-
처분(*6)	(303)	-
기말 자기주식수	1,250,992	9,418,558

(*1) 지배기업은 당기 중 주가 안정을 통한 주주가치 제고를 위하여 자기주식 288,000주(취득원가: 72,982백만 원)를 취득하였습니다. 또한, 전기 중 지배기업은 주가 안정을 통한 주주가치 제고를 위하여 자기주식 1,809,295주(취득원가: 426,664백만 원)를 취득하였습니다.

(*2) 지배기업은 당기 중 자기주식 626,240주(취득원가: 141,342백만 원)를 임직원 성과급 및 인적분할 축하금으로 지급하여 2,659백만 원의 자기주식처분이익과 114,359백만 원의 자기주식처분손실이 발생하였으며, 자기주식 500주(취득원가: 113백만 원)를 사외이사의 보수의 일부로 지급하여 48백만 원의 자기주식처분이익이 발생하였습니다.

주석에는 임직원 성과급 및 인적분할 축하금 명목으로 자기주식 626,240주를 처분(지급)한 것으로 확인할 수 있습니다.

심 화) 주식수와 EPS

유상증자로 주식수가 늘어나게 되면, 자연히 EPS(주당순이익)은 감소하게 됩니다. 이를 흔히 말하는 주주가치가 희석된다고 표현합니다. ★그러나 반대로 생각해서 기업이 차입금에 대한 이자 부담을 줄이고 현명한 경영판단을 통해 유상증자를 실시했고, 이로 인해 사업에 긍정적인 영향을 미쳤다면, 위 EPS식에서 분자인 당기순이익이 증가(차입금에 따른 이자비용은 감소하고 매출은 증가하여) 하게 될 수 있습니다.

따라서 분자, 분모가 동시에 증가함에 있어 현명한 유상증자 활동

$$\text{주당순이익 (EPS)} = \frac{\text{당기순이익}}{\text{유통 보통 주식수}}$$

$$PER = \frac{\text{1주당 주가}}{EPS}$$

$$PER = \frac{\text{시가총액}}{\text{당기순이익}}$$

by 현명한 직장인

은 당기순이익의 증가폭을 주식수 증가폭보다 더 올려 오히려 EPS를 더욱 증가시킬 수 있습니다.

(그러나 우리 나라 기업 중에서 많진 않을 것으로 예상합니다..)

★ EPS의 감소는 곧 PER의 증가입니다. 따라서 현재 시장에서 평가받고 있는 해당 기업, 주식의 가치는 고평가되는 것으로 귀결됩니다.(= 기업, 주식의 가치가 낮다.)

투자자 입장에서의 자본부분

✓ 주식수 체크. 빈번한 유상증자로 주주이익이 희석되진 않았나.

✓ 유상증자를 인정한다치고, 그러면 증자 후 충분한 이익 증대로 인한 주주환원(자사주 매입, 배당 증가)으로 보답하였는가?

✓ 꾸준한 자사주 매입을 통해 유통주식수가 감소하여 주주가치가 제고되고 있는가?

이제 재무제표(재무상태표, 손익계산서, 자본변동표, 현금흐름표, 주석) 중 현금흐름표에 대해서 알아보겠습니다.

※ 현금흐름표를 보기 위해선 먼저 손익계산서와 재무상태표에 대한 기본적인 이해가 필요합니다. 따라서 처음 현금흐름표를 이해하시려는 분들께서는 제가 이전에 다루었던 손익계산서, 재무상태표의 대략적인 내용들을 먼저 보시고 살펴주시기 바랍니다.

> **현금흐름표**
>
> 기업의 현금흐름(=들어오고, 나가고)을 기록한 표
>
> 현금흐름의 종류에 따라 영업활동현금흐름, 투자활동현금흐름, 재무활동 현금흐름을 각각 분류하여 공시하고 있음.

♣ 손익계산서와 현금흐름표의 차이

우리는 매출액, 매출원가, 영업이익 등 중요한 자료를 이미 손익계산서로 볼 수 있는데 왜 현금흐름표를 봐야 할까요?

이는 발생주의*에 따른 손익과 실제 현금흐름에는 차이가 있기 때문인데, 이를 보완하기 위해 현금흐름표를 봐야 합니다.

※ 발생주의는.. 최대한 설명하지 않으려고 했는데, 아래 그림으로만 간단히 설명드리겠습니다.

위와 같은 상황일 때 손익계산서, 재무상태표, 현금흐름표를 비교해 보겠습니다.

손익계산서 상에는 매출 5,000원 당기순이익 4,000원을 기록했지만, 현금흐름표에는 매출을 얼마를 했던 현금이 들어온 내역이 없기 때문에 현금흐름 0원을 기록하게 됩니다. 당기순이익과 실제 들어온 현금과의 차이가 발생.

손익계산서, 재무상태표, 현금흐름표 관계

손익계산서

매출 5,000원 (1,000원 * 5개)

매출원가 1,000원 (200원 * 5개)

매출총이익 4,000원

판매비와 관리비 0원

영업이익 4,000원

기타손익 0원

당기순이익 4,000원

재무상태표

매출채권 5,000원
(기초 매출채권 0원)

재고자산 0원
(기초 재고자산 1,000원)

현금흐름표

당기순이익 4,000원

- 매출채권의 증가 5,000원
+ 재고자산의 감소 1,000원

영업활동현금흐름 0원

by 현명한 직장인

결국 손익계산서는 발생주의라는, 사실상의 기업 영업 및 비영업 활동 내역을 보여주는 것이고, 현금흐름표는 철저하게, 오로지 "현금"의 변동 내역을 보여주는 것입니다.

[재무제표 분석하기] 25편. 영업활동현금흐름(1) 계산 방법

영업활동현금흐름

기업이 순수하게 자신의 본업을 통해 벌어들인 현금흐름

· 오리온이 초코파이를 팔아서 받은 현금은? → 영업활동현금흐름

· 투자한 주식을 팔아서 벌어들인 현금은? → 투자활동현금흐름

· 은행에 차입하여 증가한 현금은? → 재무활동현금흐름

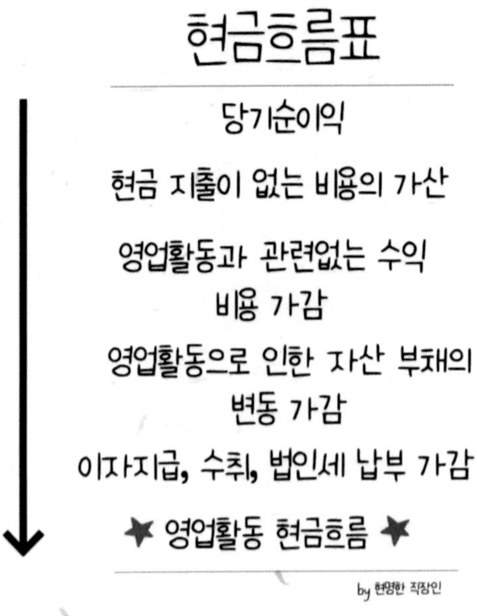

현금흐름표
당기순이익
현금 지출이 없는 비용의 가산
영업활동과 관련없는 수익 비용 가감
영업활동으로 인한 자산 부채의 변동 가감
이자지급, 수취, 법인세 납부 가감
영업활동 현금흐름
by 현명한 직장인

기본적인 계산 순서는 다음과 같습니다.

① 당기순이익에서 시작해서,

② 현금 지출이 없는 비용은 (+)플러스 : 왜냐면 현금 지출이 없었기 때문

③ 영업활동과 관련없는 수익, 비용은 (-), (+) : "영업활동"현금흐름을 구하는 것

④ 영업활동으로 인한 자산·부채의 증감 : 영업활동 자산이 감소한 것은 곧 팔렸다는 뜻. 이는 현금화 된 것이기에 + 하고, 반대는 - / 부채가 증가했다는 것은 그만큼 현금이 안나갔다는 것. 반대로 부채가 감소했다는 뜻은 부채를 상환하여 현금이 지출되었다는 것. 따라서 (-)를 해줌

⑤ 이자수취, 지급, 법인세 납부 : 이자 수취는 현금이 들어왔다는 것(+). 지급은 반대(-). 법인세 납부는 그만큼 현금이 나갔다는 것. 따라서 (-)

✔ 현금흐름표는 기본적으로 금액이 큰 항목들, 눈에 띄는 부분들에 대해 살펴보고 다른 재무제표와 마찬가지로 10년 정도의 기간에 걸쳐 꾸준한 현금흐름 내역을 살펴보는 것. 이를 통해 현금이 제대로 유입되고 있는지 확인하는 것이 현금흐름표의 체크포인트 입니다.

이상 대략적인 영업활동현금흐름 계산 방법에 대해 알아보았고, 다음 편부터는 본격적으로 영업활동현금흐름의 계산식에 대해서 살펴보겠습니다.

실전 사례) 애플을 통해 살펴본 영업활동현금흐름

 애플은 지난 10년 중 2개년을 제외하고는 매년 매출과 당기순이
익을 증가시켜온 기업입니다.
 회계학에서는 손익계산서와 당기순이익, 현금흐름표와 영업활동현
금이라는 구분을 두었지만 투자자 입장에서는 이 두 항목의 차이
보단 흐름과 모양을 중요하게 봐야합니다.

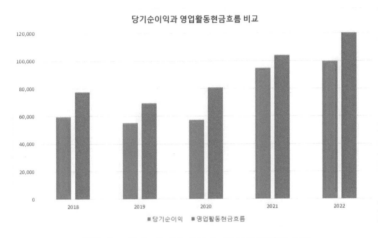

당기순이익과 영업활동현금흐름 비교

애플의 5개년 당기순이익과 영업활동현금흐름

 당연히 순이익은 꾸준히 늘어야 하고, 더 중요한 것은 이익이 늘
어나는 상황에서 영업활동현금흐름 역시 순이익의 증가에 맞춰 증
가해야 합니다. 애플의 경우 그런 모습을 보여주게 되죠.

구분	2018	2019	2020	2021	2022
당기순이익	59,531	55,256	57,411	94,680	99,803
감가상각,상각	10,903	12,547	11,056	11,284	11,104
주식보상비용	5,340	6,068	6,829	7,906	9,038
매출채권의감소(증가)	-5,322	245	6,917	-10,125	-1,823
재고자산의감소(증가)	828	-289	-127	-2,642	1,484
매입채무의증가(감소)	9,175	-1,923	-4,062	12,326	9,448
영업활동현금흐름	77,434	69,391	80,674	104,038	122,151

2018 ~ 2022 애플의 영업활동현금흐름

이는 현금흐름의 원리를 생각해보면 간단해요. 영업활동현금의 계산은 당기순이익에서부터 시작하는데, 당기순이익이 꾸준히 증가하고 기업의 외형이 커지면 자연히 매출채권과 재고자산, 매입채무, 미지급금 등은 증가하겠죠.

이런 영업 관련 자산·부채의 증감은 현금흐름에 (+),(-)를 주기 때문에 결국엔 외형이 커짐과 동시에 영업 관련 자산, 부채도 증가하고 당기순이익과의 차이에 영향을 주는 값은 그 이전과 큰 차이가 보이지 않을 거에요.

결국 장기적으로 우량한 기업이라면 당기순이익이 증가하는 폭만큼 영업현금흐름도 증가할 가능성이 커요.

그렇기에 영업활동현금흐름을 분석할 때 중요한 점은 개별적인 항목이 아니라 당기순이익의 증가와 비슷한 방향으로 현금흐름이 움직이는가, 당기순이익은 개선되는데 영업현금흐름은 꾸준히 감소되진 않는지, 등을 중점적으로 살펴보아야 한답니다.

※ 현금흐름표 확인하는 곳

현금흐름표는 각 기업의 사업,분기,반기보고서 내에 "연결재무제표" → 현금흐름표에서 확인하실 수 있습니다.

※ 그런데 기업별로 영업활동현금흐름을 위 오리온처럼 풀어서 보고하는 곳이 있는가하면,

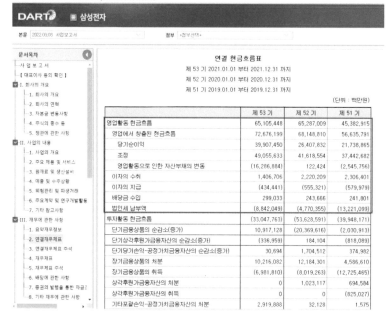

이렇게 삼성전자처럼 요약하여 공시해놓는 곳이 있습니다. (대부분)

현금흐름표를 이렇게 요약하여 공시해놓은 곳은, "연결재무제표 주석"을 통해 상세 내역을 확인하실 수 있습니다.

27. 현금흐름표:

가. 연결회사는 영업활동 현금흐름을 간접법으로 작성하였습니다. 당기 및 전기 중 영업활동 현금흐름 관련 조정 내역 및 영업활동으로 인한 자산부채의 변동은 다음과 같습니다.

(1) 조정 내역

(단위 : 백만원)

구 분	당기	전기
법인세비용	13,444,377	9,937,285
금융수익	(2,485,679)	(3,718,841)
금융비용	1,917,705	2,306,770
퇴직급여	1,360,344	1,290,179
감가상각비	31,285,209	27,115,735
무형자산상각비	2,962,152	3,219,881
대손상각비(환입)	17,990	40,006
배당금수익	(135,840)	(152,440)
지분법이익	(729,614)	(506,530)
유형자산처분이익	(340,400)	(154,249)
유형자산처분손실	75,586	87,673
재고자산평가손실(환입) 등	1,735,741	1,000,763
기타	(51,938)	1,152,322
계	49,055,633	41,618,554

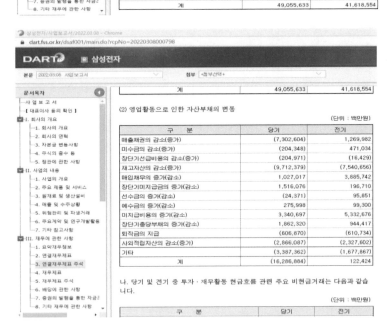

계	49,055,633	41,618,554

(2) 영업활동으로 인한 자산부채의 변동

(단위 : 백만원)

구 분	당기	전기
매출채권의 감소(증가)	(7,302,604)	1,269,982
미수금의 감소(증가)	(204,348)	471,034
장단기선급비용의 감소(증가)	(204,971)	(16,429)
재고자산의 감소(증가)	(9,712,379)	(7,540,656)
매입채무의 증가(감소)	1,027,017	3,885,742
장단기미지급금의 증가(감소)	1,516,076	196,710
선수금의 증가(감소)	(24,371)	95,851
예수금의 증가(감소)	275,998	99,300
미지급비용의 증가(감소)	3,340,697	5,332,676
장단기충당부채의 증가(감소)	1,862,320	944,417
퇴직금의 지급	(606,870)	(610,734)
사외적립자산의 감소(증가)	(2,866,087)	(2,327,602)
기타	(3,387,362)	(1,677,867)
계	(16,286,884)	122,424

나. 당기 및 전기 중 투자·재무활동 현금흐름 관련 주요 비현금거래는 다음과 같습니다.

(단위 : 백만원)

구 분	당기	전기

현금 지출이 없는 비용의 가산

말 그대로 손익계산서 상에는 비용으로 매출액에 (-)로 계산 하였지만, 실제 현금이 나간 비용은 아니므로 다시 당기순이익 에 (+)하는 과정

	제 5 기	제 4 기	제 3 기
영업활동현금흐름	404,732,644,670	460,996,136,975	347,826,332,867
당기순이익(손실)	263,661,820,679	274,562,274,378	220,467,907,564
당기손익의조정을 위한 가감	274,407,674,862	286,760,747,301	253,348,863,089
퇴직급여	12,374,761,774	12,718,703,344	10,436,719,791
감가상각비	134,464,790,914	125,174,624,441	119,223,066,859
무형자산상각비	4,154,612,550	4,257,209,182	3,446,281,665
투자부동산상각비	141,885,240	136,647,411	134,808,170
사용권자산상각비	10,986,031,134	9,395,505,215	9,388,098,284
당기손익-공정가치 측정 금융자산 평가손실	421,812,539		
유형자산손상차손			1,447,965,453
무형자산손상차손		440,718,080	77,899,466
사용권자산손상차손		705,050,880	480,050,365
매출채권처분손실	22,557,546	37,966,805	19,774,295
매출채권손상차손	21,494,182	(41,043,696)	183,786,345
기타의 대손상각비	15,693,255	21,387,766	384,709
유형자산처분손실	3,469,958,394	4,042,706,313	16,255,799,331
무형자산처분손실	40,972,800	21,665,000	445,500
주식기준보상비용	1,987,261,904	15,276,987,783	
외화환산손실	82,104,727	234,368,182	199,780,836
이자비용	6,389,281,297	7,362,309,091	10,920,163,787
법인세비용	115,385,469,197	122,788,740,199	87,641,211,577
지분법손익	(461,507,792)	(564,912,310)	(7,493,902)

오리온의 실제 현금흐름표를 통해 알아보겠습니다. (빨간색 박스 를 친 부분이 현금 지출이 없는 비용의 가산 부분입니다.)

★ 감가상각비

→ 대부분의 기업에서 손익계산서 ≠ 현금흐름표 간에 금액적으로 가장 큰 차이가 나는 부분입니다.

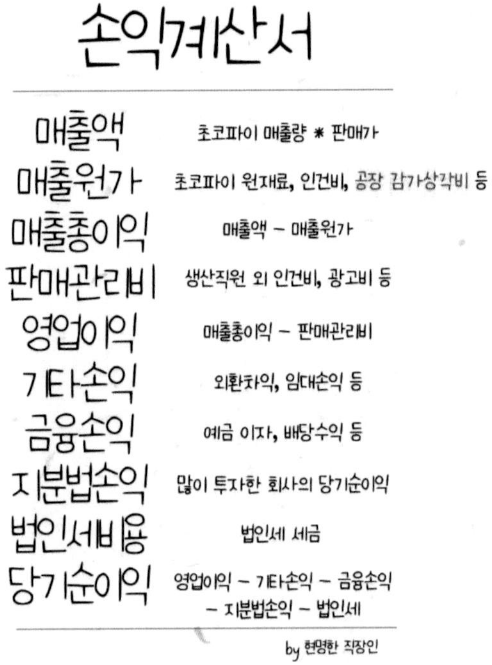

손익계산서

매출액	초코파이 매출량 ✱ 판매가
매출원가	초코파이 원재료, 인건비, 공장 감가상각비 등
매출총이익	매출액 − 매출원가
판매관리비	생산직원 외 인건비, 광고비 등
영업이익	매출총이익 − 판매관리비
기타손익	외환차익, 임대손익 등
금융손익	예금 이자, 배당수익 등
지분법손익	많이 투자한 회사의 당기순이익
법인세비용	법인세 세금
당기순이익	영업이익 − 기타손익 − 금융손익 − 지분법손익 − 법인세

by 현명한 직장인

손익계산서에 들어갈 때 당기순이익을 산출하는 과정을 살펴본 내용인데요,

공장의 감가상각비는 매출원가에 포함되어 비용처리되었고, 매출액에서 (−)되어 영업이익, 당기순이익이 발생하게 되었습니다.

그런데.. 감가상각비라는 비용으로 현금이 지출됐나?

↓

아니다! 감가상각비는 단순히 유형자산의 소모 내역을 비용으로 처리한 것. 현금 지출 X

↓

현금지출 안되었으니까 다시 당기순이익에 + 시킨다.

현금흐름표는 철저한 현금위주입니다. 현금으로 지출되지 않은 감가상각비는 당기순이익에 (+) 시킵니다.

초코파이 5개 주세요.
외상 2개, 현금3개

여기 있습니다ㅅㅅ

※ 초코파이는 개당 1,000원

※ 초코파이의 개당 (매출)원가는 200원 / 총 1,000원

※ 자동차 감가상각비 1,000원

1. 매출 5,000원 발생
2. 매출채권 2,000원 발생
3. 현금 3,000원 발생
4. 당기순이익 3,000원 발생
(5,000원 - 1,000원 - 1,000원)

Q) 근데 왜 당기순이익에 (+) 시키나요?

예시를 통해 살펴보면, 기본적으로 매출액은 외상 또는 현금으로 받은 금액입니다. 이 매출액에서 현금이 지출되지 않은 비용들(감가상각비 등)이 (-) 되어 당기순이익을 표시해요.

그렇기에 결국 당기순이익은 매출로 받은 외상 또는 현금에서 비용을 뺀 나머지입니다.

손익계산서, 재무상태표, 현금흐름표 관계

손익계산서	재무상태표
매출 5,000원 (1,000원 * 5개)	매출채권 2,000원
매출원가 1,000원 (200원 * 5개)	(기초 매출채권 0원)
매출총이익 4,000원	재고자산 0원
판매비와 관리비 1,000원	(기초 재고자산 1,000원)
= 자동차 감가상각비	현금 3,000원
영업이익 3,000원	**현금흐름표**
기타손익 0원	당기순이익 3,000원
당기순이익 3,000원	- 매출채권의 증가 2,000원
	+ 재고자산의 감소 1,000원
	+ 현금유출이 없는 비용 1,000원
by 현명한 직장인	영업활동현금흐름 3,000원

여기서 이 비용이 현금을 지출한 비용이 아니라면 당기순이익이 실제 현금보다 과소하게 표기될 거에요. 그렇기 때문에 현금으로 지출되지 않은 비용은 당기순이익에 가산해줘야 기업이 실제 받은 현금흐름을 표시해 줄 수 있답니다.

감가상각비 외에도, 퇴직급여(당장 현금으로 지출한 비용 아님), 유무형자산의 손상차손(유무형자산의 자산가치가 없어져서 비용처리한 것이지 실제 비용으로 나간 것이 아님) 등이 대표적인 현금 지출이 없는 비용 항목으로. 영업활동현금흐름 계산 과정에서 모두 당기순이익에 (+)하게 됩니다.

> ### 영업활동과 관련없는 손익의 가감
>
> 영업활동현금흐름은 말 그대로 기업이 본업을 통해 유출입되는 현금흐름을 기록하는 게 목적. 따라서 본업 이외의 현금 유출입은 반대로 가감

오리온의 현금흐름표에서 위 빨간 박스 부분이 영업활동 외의 활동에 따른 현금 유출입 가감 부분입니다.

매출채권처분손실은 말 그대로 매출채권을 현금으로 회수하지 않고 금융기관 등 타인에게 돈을 받고 팔았으나 제 값을 받지 못해 손실을 본 것을 말합니다.

그러나 이는 기업이 본업인 영업활동과는 관련이 없으므로(오리온의 본업은 초코파이를 만들어서 파는 활동이지 매출채권 파는 활동이 아님) 이는 영업활동과 관련없는 손익으로 가감해주게 됩니다.

> 매출채권 10,000원짜리를 은행에 9,000원에 팔면 -1,000원의 매출채권 처분손실 발생 → 처분손실이라는 비용으로 매출액에서 (-)되었으나 영업활동과 관련없는 비용이므로 다시 당기순이익에 (+)해줌

마찬가지로 유형자산처분손실 또한 기업이 계산하고 있는 장부가격보다 낮은 가격으로 유형자산을 처분함으로써 발생된 손실로 이 또한 기업이 본업인 영업활동과는 관련이 없는 비용으로 (+)처리를 해주게 됩니다. 반대로 이익을 봤다면 당연히 (-)로 처리합니다.

영업활동으로 인한 자산·부채의 가감

기업의 자산·부채의 변동은 곧 현금의 유·출입을 의미

· 재고자산(영업자산)의 감소는? 재고가 팔렸다는 의미이니 현금 유입

· 매입채무의 증가는? 줘야 할 돈을 안 주고 더 늘어났으니 현금 유입

· 매출채권의 증가는? 받을 돈을 못 받고 더 늘어났으니 현금 감소

위는 오리온의 현금흐름표 중 영업활동 자산 부채의 변동(빨간
박스) 내역입니다.

 → 매출채권의 감소는 (+) / 증가는 (-)

 → 재고자산의 감소는 (+) / 증가는 (-)

 → 매입채무의 감소는 (-) / 증가는 (+)

 → 기타채무의 감소는 (-) / 증가는 (+)

★ 공통점은 자산의 감소는 현금흐름 (+), 증가는 (-) / 부채의
감소는 (-), 증가는 (+)입니다.

밀가루 5포대 주세요
2포대는 외상, 3포대는
현금으로 할게요

여기 있습니다^^

밀가루

※ 밀가루 포대당 1,000원

1. 재고자산(원재료)
   5,000원 발생

2. 매입채무 2,000원 발생

3. 현금 3,000원 지출

손익계산서, 재무상태표, 현금흐름표 관계

손익계산서

매출 0원

매출원가 0원

매출총이익 0원
판매비와 관리비 0원

영업이익 0원

기타손익 0원

당기순이익 0원

재무상태표

재고자산 5,000원
(기초 재고자산 0원)

매입채무 2,000원
(기초 매입채무 0원)

현금흐름표

당기순이익 0원

+ 매입채무의 증가 2,000원
- 재고자산의 증가 5,000원

영업활동현금흐름 -3,000원

by 현명한 직장인

매출이 아직 없다고 가정할 때, 기업은 5,000원의 비용을 들여 재고자산을 매입했습니다. 이 과정에서 3,000원은 현금으로 즉시 지급하고 나머지 2,000원은 외상으로 샀을 때,

위의 예에서 영업 자산(재고자산)의 증가는 곧 현금의 유출을 나타냅니다. 자산이 증가했다는 것은 어디선가 사왔다는 것이니까요.

반대로 영업 자산의 감소는 곧 현금의 유입입니다. 자산이 감소했다는 것은 어딘가에 팔았다는 것이니까요.

한편 부채의 증가는 현금흐름 (+) 항목입니다. 현금의 유입된 것은 아니지만, 그렇다고 현금이 유출된 것은 아니기 때문이에요. 기업은 부채의 증가를 비용으로 처리하면서 당기순이익에 (−)로 표시되겠지만 "현금"이 나간 내역이 없기 때문에 이를 당기순이익에 (+)시켜주게 됩니다. 반대도 마찬가지에요.

이런 과정을 통해 기업의 순 현금흐름(유출입)을 계산합니다.

대부분 기업의 영업활동현금흐름 ≠ 손익계산서 당기순이익의 차이는 일반적으로 감가상각비, 매출채권, 재고자산, 매입채무 또는 미지급금 항목입니다.

따라서 현금흐름표의 재고자산, 매출채권은 당연히 재고자산회전율, 매출채권회전율과 함께 관찰해야 합니다.

매출액이 증가하지 않는 와중에 재고자산과 매출채권 회전율은 낮은데 이로 인한 현금 유출만 늘고 있는 상황이라면 기업이 어려운 상황에 직면할 수도 있으며,

반대로 매출액이 꾸준히 증가하면서 재고자산과 매출채권의 회전율이 좋은 상황이라면 재고자산과 매출채권의 증가는 현금흐름에는 부정적 영향을 끼칠지라도 곧 빠른 회전을 통해 추가적인 현금유입을 더 늘릴 수 있는 상황으로 파악할 수 있습니다.

투자자 입장에서의 영업현금흐름

✓ 큰 금액(변화요인)부터 차근차근
✓ 재고자산, 매출채권으로 인한 현금유출이 몇 년간 지속된다면, 이에 따른 매출액 증가세, 회전율 살펴보기
✓ 감가상각비로 인해 영업활동현금흐름이 과다하게 보이는 것은 아닌가?
✓ 당기순이익과 영업활동현금흐름과의 차이가 비슷한 수준으로 매년 유지되고 있는가?

감가상각의 내용연수가 끝나면 순이익률이 좋아질거다? 또는 감가상각비 때문에 당기순이익이 나쁜 것이지. 영업활동현금 흐름은 좋다?

감가상각 내용연수가 끝났다는 의미는 유형자산이 그만큼 노후화 됐다는 것을 의미해요.

경쟁이 치열한 시장에서 유형자산의 노후화는 경쟁력 감소로 이어지겠죠? → 즉 내용연수가 끝났다는 의미는 감가상각비가 줄어들어 당기순이익이 당장에 좋아질지는 몰라도 곧 새로운 유형자산의 취득 시기(현금의 대규모 유출)가 도래했다는 것을 동시에 의미하기도 한답니다.

※ 이자지급, 수취, 법인세 납부는 말 그대로 현금으로 받은 이자의 지급, 수취, 법인세 납부액을 말하는 것으로 크게 설명이 필요 없기에 생략하고, 투자활동현금흐름으로 넘어가도록 하겠습니다.^^

투자활동 현금흐름

기업이 투자활동을 통해 발생하는 현금의 유출입(=현금흐름)을 기록

기업의 주요 투자활동

① 남는 현금을 굴리기 위해 주식, 채권 등을 사고 팔면서 발생하는 현금흐름

② 기업의 기반 시설. 즉 유형자산을 사고 팔면서 발생하는 현금흐름

예) 토지, 공장이나 사무동 신증축 또는 매각, 기계장비 신규 설치 또는 매각 등

③ 무형자산 취득, 처분에 따른 현금흐름

실제 오리온 현금흐름표 투자활동현금흐름 유형

자본적 지출 비율 계산시 사용되는 CAPEX 투자금액

이미 유형자산 편에서 살펴봤지만, 저는 CAPEX투자 금액은 투자활동현금흐름에서의 "유무형자산 취득액"을 기준으로 계산하고 있습니다. 주요 증권사 리포트도 이 금액을 기준으로 계산하고 있어요.

유무형자산의 회계학적 취득액(발생주의에 따른)은 주석을 통해 확인할 수 있지만, 10년의 장기 분석시에는 분석의 편의(쉽게 찾을 수 있음)도 있고, 어차피 현금으로 지출될 것이기 때문에 유무형자산 취득으로 인한 현금지출액을 기준으로 계산해도 큰 무리가 없다고 판단됩니다.

♣ 오리온의 당기순이익 대비 CAPEX(자본적 지출) 비율 계산 & 분석

(오리온은 분할되었으므로 10년치 재무제표 없어 5년치만 계산)

유형자산의 취득		(142,258,511,178)	(151,810,726,936)	(125,846,726,665)
무형자산의 취득		(5,291,101,894)	(5,927,181,885)	(3,445,569,986)

2021, 2020, 2019 유무형자산 취득액(현금흐름표 기준)

유형자산의 취득		(130,825,482,353)	(89,777,021,253)
무형자산의 취득		(4,140,191,232)	(1,882,356,187)

2018, 2017 유무형자산 취득액(현금흐름표 기준)

당기순이익(손실)		263,661,820,679	274,562,274,378	220,467,907,564

2021, 2020, 2019 당기순이익(손익계산서)

당기순이익(손실)		143,026,319,852	76,680,272,181

2018, 2017 당기순이익(손익계산서)

> · 2021 ~ 2017 유무형자산 취득액 : 661,204,869,569원(A)
> · 같은 기간 당기순이익 누계액 : 978,398,594,654원(B)
> · A/B = 67.58% = **자본적 지출 비율**
> 결론 : 오리온은 지난 5년간 당기순이익의 67%에 해당하는
> 금액을 유무형자산의 취득에 사용하고 있다.

★ 실전사례) 롯데웰푸드 등 경쟁사의 CAPEX 비율과 비교

오리온과 같은 제과업체. 롯데웰푸드의 같은 기간 자본적 지출비율은 303%. 이는 당기순이익의 3배 가량의 금액을 유형자산에 재투자 했다는 의미입니다. 오리온은 당기순이익의 평균 67%만을

유형자산 등에 재투자하면서도 롯데웰푸드보다 높은 당기순이익을 벌어 들이는거죠.

롯데웰푸드의 자본적 지출 비율이 높다는 의미는 당기순이익이 낮거나 자본적 지출 금액이 많다는 뜻입니다. 상대적으로 오리온이 더 적은 비율의 금액을 재투자 하면서도 많은 당기순이익을 창출하고 있어 더 효율적인 경영과 제품의 경쟁력을 가지고 있다고 추측할 수 있어요.

반대로 신규 진입 기업의 경우, 얼마나 효율적인 투자를 하고 있는가를 판단. 유무형자산 취득에 사용하는 현금은 어디서 조달하는가? 차입금까지 모조리 가져다 넣으면서 당기순이익은 제대로 늘리고 있는가?를 생각해봐야해요.

예시

매년 100억원의 채권을 샀다가 만기되면 현금으로 받고, 다시 사고(현금유출) 하다가, 어느 해 100억원 현금 유입 후 신규 금융자산 취득이 없음

→ 100억의 현금이 재무상태표의 어느 계정으로 갔는가 파악. 현금으로 갖고 있는지? 현금을 갖고 있다면 왜 갑자기 현금보유액을 늘린 것인지 파악. 아니면 유형자산 취득에 썼는지, 신규 공장 투자인가? 단순 유형자산 노후화에 따른 교체인지.

투자활동은 말 그대로 기업이 투자를 하는 활동입니다. 기업이 투자를 하려면 현금이 있어야 하고, 현금이 있다는 것은 기업에 여유가 있음을 나타냅니다.

이를 절대적인 척도로 살펴서도 안되겠지만, 일반적으로는 여유가 있는 기업들이 금융자산에 따른 투자활동현금흐름의 발생을 보이고 있습니다.

어떤 기업은 이를 성장 정체기로,(남는 돈을 추가 투자에 안쓰고 묵혀서 금융자산을 사고 있으니), 누군가는 안정으로 판단할 수 있겠죠?

투자자 입장에서의 투자현금흐름

✓ 자본적 지출 비율 계산은 필수★

✓ 반복되는 금융자산의 취득·처분에 의한 현금흐름변동은 중요하지 않음. 다만 금융자산의 처분 이후 신규 금융자산의 취득이 없을 때, 그 남은 현금의 사용처는 어디인지 파악 필요

[재무제표 분석하기] 30편. 재무활동현금흐름

재무활동 현금흐름

기업이 재무활동을 통해 발생하는 현금의 유출입(=현금흐름)
을 기록
· 주요 재무 활동 : 차입금 차입·상환, 배당지급, 자사주 매입·
처분

실제 재무활동현금흐름 확인 예시

임차보증금의 감소	2,172,319,143	1,089,034,560	340,085,892
영업보증금의 감소	133,690,000	124,580,000	35,228,690
단기대여금의 증가		(3,246,720,000)	
단기대여금의 회수	3,371,170,000		
금융예치금의 순증감	(45,997,845,824)	(12,635,071,671)	(59,772,487,400)
기타포괄손익-공정가치금융자산의 증가	(3,209,453,201)		(18,589,947,999)
유형자산의 취득	(142,258,511,178)	(151,810,726,936)	(125,846,726,665)
무형자산의 취득	(5,291,101,894)	(5,927,181,885)	(3,445,569,986)
임차보증금의 증가	(1,256,047,024)	(712,830,002)	(18,620,001,892)
영업보증금의 증가	(93,400,000)	(128,690,000)	(119,580,000)
관계기업투자의 취득			(1,887,696,250)
재무활동현금흐름	(39,849,697,995)	(86,498,675,019)	(184,384,587,136)
단기차입금의 증가	21,761,398,466	262,505,736,541	936,967,035,659
사채의 증가		69,753,780,000	
임대보증금의 증가			27,000,000
주식선택권행사로 인한 현금유입			31,591,580
단기차입금의 상환	(22,543,281,285)	(266,977,036,746)	(1,038,918,196,510)
유동성 사채의 상환		(120,000,000,000)	
유동성장기차입금의 상환		(60,000,000)	(50,000,000,000)
리스부채의 상환	(9,407,723,416)	(7,913,881,414)	(8,713,260,205)
임대보증금의 감소	(13,500,000)	(90,000,000)	(7,000,000)
배당금지급	(29,646,591,750)	(23,717,273,400)	(23,711,757,660)
현금및현금성자산에 대한 환율변동효과	44,783,741,217	(8,857,531,789)	4,367,171,353
현금및현금성자산의순증가(감소)	182,983,746,201	202,460,151,224	(19,653,811,059)
기초현금및현금성자산	367,425,437,800	164,965,286,576	184,619,097,635
기말현금및현금성자산	550,409,184,001	367,425,437,800	164,965,286,576

재무활동현금흐름은 다른 재무제표, 현금흐름 항목에 비해 딱히 어려운 부분이 없습니다. 왜냐면 대부분이 차입금 증가 또는 상환, 배당금 지급, 자사주 매입 또는 매각으로 인한 현금 유·출입이거든요.

예시

◎ 단기차입금 증가 → 현금 유입{현금흐름표} → 유동자산(현금) 증가 and 유동부채(단기차입금) 증가 {재무상태표}

◎ 배당금 지급 → 현금 유출{현금흐름표} → 유동자산(현금) 감소

투자자 입장에서의 재무현금흐름

✓ 대부분의 기업에 있어 차입금 차입·상환은 동시에 이루어 짐. 즉 쉬운말로 표현하자면 돌려막기. 그런데 어느 한 해에 부쩍 차입금이 늘어났는데 상환으로 인한 현금 유출이 없다? 그럼 차입금의 순 유입이 발생한 것이고 기업은 이를 어디에 사용한 것인가? 이자율은 얼마나 되나 (주석에서)

✓ 자사주 매입, 배당으로 인한 주주환원율은 어느 정도인가?

주주환원율

★ 주주환원율 = (자사주 취득액 + 배당금 지급액) / 당기순이익

※ 누적액으로 판단 (개인적으로 10년 누적액으로 계산)

자사주 취득액과 배당금 지급액은 현금흐름표에서 한 눈에 볼 수 있기에 편의성이 있으므로 현금흐름표 기준 금액을 사용. 이를 통해 해당 기업의 주주환원율을 계산

실전 사례) 삼성전자의 주주환원율 계산해보기
① 현금흐름표, 손익계산서를 통해 기초자료 수집
지난 10년간 자사주 순 취득액(취득-처분액), 배당금 지급액, 당기순이익 자료 수집

배당금의 지급	(20,510,350)	(9,676,760)	(9,639,202)
2021, 20, 19 배당지급액			
재무활동 현금흐름	(15,090,222)	(12,560,867)	(8,669,514)
단기차입금의 순증가(감소)	(2,046,470)	2,730,676	1,351,037
자기주식의 취득	(875,111)	(8,350,424)	(7,707,938)
사채 및 장기차입금의 차입	3,580	998,311	1,041,743
사채 및 장기차입금의 상환	(1,986,597)	(1,140,803)	(252,846)
배당금 지급	(10,193,695)	(6,804,297)	(3,114,742)
비지배지분의 증감	8,071	5,670	13,232
2018, 17, 16 자사주 취득과 배당지급액			
재무활동 현금흐름	(6,573,509)	(3,057,109)	(4,137,031)
단기차입금의 순증가	3,202,416	1,833,419	(1,861,536)
자기주식의 취득 (상계)	(5,015,112)	(1,125,322)	
자기주식의 처분	3,034	27,582	34,390
사채 및 장기차입금의 차입	192,474	1,740,573	26,672
사채 및 장기차입금의 상환	(1,801,465)	(3,299,595)	(1,368,436)
배당금 지급	(3,129,544)	(2,233,905)	(1,249,672)
비지배지분의 증감	(25,312)	139	281,551
2015, 14, 13 자사주취득액(상계처리후 순액)과 배당지급액			

재무활동현금흐름	(1,864,508)
단기차입금의 순차입(상환)	(800,579)
주식선택권의 행사로 인한 자기주식의 처분	88,473
사채 및 장기차입금의 차입	1,862,256
사채 및 장기차입금의 상환	(522,899)
배당금 지급	(1,265,137)
비지배지분의 증감	(1,200,134)
기타 재무활동으로 인한 현금유출입액	(26,488)

2012년 자사주 처분액과 배당금 지급액

당기순이익(손실)	39,907,450	26,407,832	21,738,865

2021, 20, 19

당기순이익(손실)	44,344,857	42,186,747	22,726,092

2018, 17, 16

당기순이익(손실)	19,060,144	23,394,358	30,474,764

2015, 14, 13

당기순이익(손실)	23,845,285

2012

② 누계액 및 주주환원율 계산

· 지난 10년간 자사주 순 취득액 : 22,920,428백만원(A)

· 지난 10년간 배당지급액 : 67,817,304백만원(B)

· 지난 10년간 당기순이익 누계액 : 294,086,394백만원(C)

☞ 삼성전자의 지난 10년 누적 주주환원율 : (A + B) / C = 30.85%

③ 활용

경쟁사 또는 유사업종 기업, 다른 코스피 기업들의 주주환원율은 얼마인가 비교

[재무제표 분석하기] 번외편) 재무제표 주석

재무제표(재무상태표, 손익계산서, 자본변동표, 현금흐름표, 주석)의 마지막 구성 요소인 "주석"입니다.

주 석

주석의 사전적 의미는 "낱말이나 문장의 뜻을 쉽게 풀이함"입니다.

→ 이를 재무제표에 적용해보면, 「재무상태표, 손익계산서, 자본변동표, 현금흐름표」에 표시된 숫자들의 의미를 쉽게 풀이해 놓은 것으로 볼 수 있습니다.

※ 주석을 확인하는 법

DART에서 해당 기업 검색 → 사업,분기,반기 보고서 선택 후 왼쪽 탭에서 "연결재무제표 주석"에서 확인.

♣ 주석에서 확인할 수 있는 내용

① 지배·종속기업 현황

(2) 지배·종속기업의 현황

당기말과 전기말 현재 연결실체의 지배·종속기업의 현황은 다음과 같습니다.

회사명	소재지	상위 지배기업	소유지분율					
			당기말			전기말		
			최상위 지배기업	종속기업	합계	최상위 지배기업	종속기업	합계
(주)오리온	국내	최상위지배기업	-	-	-	-	-	-
PAN Orion Corp. Limited	홍콩	(주)오리온	95.15%	-	95.15%	95.15%	-	95.15%
Orion International Euro LLC.(*1)	러시아	(주)오리온, PAN Orion Corp. Limited	73.27%	26.73%	100.00%	100.00%	-	100.00%
Orion Food VINA Co., Ltd.	베트남	(주)오리온	100.00%	-	100.00%	100.00%	-	100.00%
Orion Nutritionals Private Ltd.	인도	(주)오리온	100.00%	-	100.00%	100.00%	-	100.00%
Orion Food Co., Ltd.	중국	PAN Orion Corp. Limited	-	100.00%	100.00%	-	100.00%	100.00%
Orion Food (Shanghai) Co., Ltd.	중국	PAN Orion Corp. Limited	-	100.00%	100.00%	-	100.00%	100.00%
Orion Food Guangzhou Co., Ltd.	중국	PAN Orion Corp. Limited	-	100.00%	100.00%	-	100.00%	100.00%
Orion Food (Shen Yang) Co., Ltd.	중국	PAN Orion Corp. Limited	-	100.00%	100.00%	-	100.00%	100.00%
Orion (Bei Tun) Agro Processing Co., Ltd.(*2)	중국	Orion Food Co., Ltd.	-	-	-	-	100.00%	100.00%
Orion Agro Co., Ltd.	중국	Orion Food Co., Ltd.	-	100.00%	100.00%	-	100.00%	100.00%
Orion Agro DuoLun Co., Ltd.	중국	Orion Food Co., Ltd.	-	100.00%	100.00%	-	100.00%	100.00%
LangFang Green Eco Packaging Co., Ltd.	중국	Orion Food Co., Ltd.	-	100.00%	100.00%	-	100.00%	100.00%
Orion F&B US, Inc.(*3)	미국	(주)오리온	100.00%	-	100.00%	-	-	-

(*1) 당기 중 PAN Orion Corp. Limited 는 Orion International Euro LLC.에 증자하였습니다.
(*2) 당기 중 Orion (Bei Tun) Agro Processing Co., Ltd.는 청산하였습니다.
(*3) 당기 중 Orion F&B US, Inc.가 설립되었습니다.

(3) 지배기업과 종속기업의 요약 재무정보

당기와 전기의 지배기업과 연결대상 종속기업에 대한 요약재무정보는 다음과 같습니다.

① 당기

(단위: 백만원)

회사명	주요 사업	자산	부채	자본	매출액	당기순이익 (손실)	총포괄이익 (손실)
(주)오리온	과자류 생산 / 판매	1,268,635	399,647	868,988	807,372	92,263	89,385
PAN Orion Corp. Limited	지주회사	367,190	3,829	363,361	-	(1,231)	(6,257)
Orion International Euro LLC.	과자류 생산 / 판매	132,318	13,158	119,160	116,987	13,780	13,780
Orion Food VINA Co., Ltd.	과자류 생산 / 판매	419,802	53,945	365,857	341,449	56,912	56,912
Orion Nutritionals Private Ltd.	과자류 생산 / 판매	23,885	1,908	21,977	3,129	(4,401)	(4,401)
Orion Food Co., Ltd.	과자류 생산 / 판매	791,318	164,862	626,456	1,100,237	88,737	88,735
Orion Food (Shanghai) Co., Ltd.	과자류 생산	368,552	39,174	329,378	192,572	18,099	18,099
Orion Food Guangzhou Co., Ltd.	과자류 생산	237,565	30,153	207,412	129,257	12,797	12,797
Orion Food (Shen Yang) Co., Ltd.	과자류 생산	188,502	51,080	137,422	91,701	7,458	7,458
Orion (Bei Tun) Agro Processing Co., Ltd.(*)	농산물 가공	-	-	-	-	111	111
Orion Agro Co., Ltd.	음식료품 제조업	12,412	1,589	10,823	10,460	807	807
Orion Agro DuoLun Co., Ltd.	농산물 가공	4,761	992	3,769	3,539	133	133
LangFang Green Eco Packaging Co., Ltd.	포장제조	33,587	5,836	27,751	27,747	3,104	3,104
Orion F&B US, Inc.	과자류 판매	869	693	176	858	136	136
합계		3,849,396	766,866	3,082,530	2,825,308	288,705	280,799

지배종속기업의 현황 + 해당 종속기업들의 요약 재무정보입니다.

개인적으로 생각하는 우리나라 재무제표 주석의 백미라고 생각하는 부분입니다. 대부분의 우리나라 기업들은 주석에 종속기업 내용을 게시하고 있어 해당 기업이 지배기업으로서 거느리고 있는 종속기업들의 실적을 한눈에 확인할 수 있습니다.

위 자료를 보면, 오리온은 지배기업으로서 14개의 종속기업을 가지고 있고, 특히 그 중에서 국내(주)오리온과 Orion Food Co., Ltd.라는 중국소재 종속기업, Orion Food VINA Co., Ltd.라는 베트남 소재 종속기업의 실적이 사실상 오리온의 연결재무제표 자산부채자본 및 수익의 대부분을 차지하고 있는 것을 한 눈에 볼 수 있습니다.

② 회계 정책

2. 중요한 회계정책

다음은 재무제표 작성에 적용된 중요한 회계정책입니다. 이러한 정책은 별도의 언급이 없다면, 표시된 회계기간에 계속적으로 적용됩니다.

2.1 재무제표 작성 기준

2.4 외화환산

(1) 기능통화와 표시통화

연결실체는 연결실체 내 개별기업의 재무제표에 포함되는 항목들을 각각의 영업활동이 이뤄지는 주된 경제 환경에서의 통화("기능통화")를 적용하여 측정하고 있습니다. 지배기업의 기능통화는 대한민국 원화이며, 연결재무제표는 대한민국 원화로 표시되어 있습니다.

2.5 현금및현금성자산

연결실체는 보유현금과 요구불예금, 유동성이 매우 높고 확정된 금액의 현금으로 전환이 용이하고 가치변동의 위험이 경미한 취득일로부터 만기일이 3개월 이내인 투자자산을 현금및현금성자산으로 분류하고 있습니다.

2.6 금융자산

(1) 분류

연결실체는 다음의 측정 범주로 금융자산을 분류합니다.
- 당기손익-공정가치 측정 금융자산
- 기타포괄손익-공정가치 측정 금융자산
- 상각후원가 측정 금융자산

2.9 유형자산

유형자산은 원가에서 감가상각누계액과 손상차손누계액을 차감하여 표시됩니다. 역사적 원가는 자산의 취득에 직접적으로 관련된 지출을 포함합니다.

토지를 제외한 자산은 취득원가에서 잔존가치를 제외하고, 다음의 추정 경제적 내용연수에 걸쳐 정액법으로 상각됩니다.

구분	추정 내용연수
건물	15년 ~ 55년
구축물	10년 ~ 30년
기계장치	5년 ~ 17년
기타의유형자산	3년 ~ 10년, 비한정

회계정책에는 해당 기업의 각 계정과목들의 분류 기준을 어떻게 하는지, 유형자산의 감가상각을 위한 내용연수는 몇년으로 추정하고 있는지 등에 대해 세세하게 설명하고 있으나, 이 부분은 대부분의 기업들이 비슷하게 정하고 있습니다.

③ 유무형자산의 변동(사고 팔고) 내역

6. 유형자산

(1) 당기 중 유형자산의 변동은 다음과 같습니다.

(단위: 천원)

구분	토지	건물	구축물	기계장치	기타의유형자산	건설중인자산	합계
취득원가:							
기초금액	200,890,888	760,084,761	17,767,836	1,482,763,514	149,231,573	64,858,002	2,675,596,574
취득금액	1,946,889	900,209	153,381	11,632,982	8,433,726	115,539,288	138,606,475
처분금액	(21)	(1,209,037)	(26,000)	(20,439,295)	(10,888,105)	(1,804,474)	(34,366,932)
본계정대체	7,153	33,674,709	–	69,746,753	6,674,623	(110,103,238)	–
기타증감액(*)	123,297	62,593,071	386,799	110,540,787	9,507,166	4,727,587	187,878,707
기말금액	202,968,206	856,043,713	18,282,016	1,654,244,741	162,958,983	73,217,165	2,967,714,824
감가상각누계액 및 손상차손누계액:							
기초금액	–	(160,056,655)	(12,806,726)	(749,919,507)	(90,267,546)	–	(1,013,050,434)
감가상각비	–	(20,386,260)	(900,869)	(99,895,390)	(13,282,272)	–	(134,464,791)
처분금액	–	950,916	25,999	17,294,827	10,057,250	–	28,328,992
기타증감액(*)	–	(11,490,560)	(160,756)	(57,579,273)	(5,581,277)	–	(74,811,866)
기말금액	–	(190,982,559)	(13,842,352)	(890,099,343)	(99,073,845)	–	(1,193,998,099)
장부금액:							
기초금액	200,890,888	600,028,106	4,961,110	732,844,007	58,964,027	64,858,002	1,662,546,140
기말금액	202,968,206	665,061,154	4,439,664	764,145,398	63,885,138	73,217,165	1,773,716,725

(*) 기타 증감액에는 당기 중 해외 소재 종속기업의 외화환산으로 인한 변동 등이
포함되어 있습니다.

④ 공동기업 또는 관계기업투자의 대상이 어디인지

11. 공동기업투자

(1) 당기말과 전기말 현재 공동기업투자의 내역은 다음과 같습니다.

(단위: 천원)

회사명	소재지	당기말		전기말	
		지분율	장부금액	지분율	장부금액
Delfi-Orion Pte Ltd.	싱가포르	50.00%	791,336	50.00%	660,736
농업회사법인 오리온농협(주)(*)	국내	49.00%	30,863,807	49.00%	30,417,712
합계			31,655,143		31,078,448

⑤ 보유하고 있는 금융자산 내역

(1) 당기손익-공정가치 측정 금융자산

① 당기말과 전기말 현재 당기손익-공정가치 측정 금융자산의 내역은 다음과 같습니다.

(단위: 천원)

구분	당기말	전기말
유동항목		
특수채	39,006,075	–

② 당기와 전기 중 당기손익-공정가치 측정 금융자산과 관련하여 당기손익으로 인식된 금액은 다음과 같습니다.

(단위: 천원)

구분	당기	전기
당기손익-공정가치 측정 금융자산 평가손실	(421,813)	–

(2) 기타포괄손익-공정가치 측정 금융자산

당기말과 전기말 현재 기타포괄손익-공정가치 측정 금융자산의 내역은 다음과 같습니다.

(단위: 천원)

구분	당기말		전기말	
	장부금액	공정가치	장부금액	공정가치
상장지분상품:				
- Taokaenoi Food & Marketing Public Company Limited	13,230,944	13,230,944	18,257,921	18,257,921
소계	13,230,944	13,230,944	18,257,921	18,257,921
비상장지분상품:				
- Shandong Lukang Biotechnology Development Co., Ltd.	3,369,175	3,369,175	-	-

⑥ 재고자산 내역

14. 재고자산

(1) 당기말과 전기말 현재 재고자산의 내역은 다음과 같습니다.

(단위: 천원)

구분	당기말			전기말		
	평가전금액	평가충당금	장부금액	평가전금액	평가충당금	장부금액
상품	36,450,690	(1,002,159)	35,448,531	32,233,989	(710,849)	31,523,140
제품	55,329,020	(71,599)	55,257,421	46,716,473	(32,954)	46,683,519
재공품	7,945,711	-	7,945,711	8,305,282	-	8,305,282
원재료	84,848,174	-	84,848,174	68,977,022	-	68,977,022
원서	1,707,739	-	1,707,739	1,953,130	-	1,953,130
미착자재	23,267,979	-	23,267,979	22,299,611	-	22,299,611
합계	209,549,313	(1,073,758)	208,475,555	180,485,507	(743,803)	179,741,704

(2) 당기 중 비용으로 인식되어 '매출원가'에 포함된 재고자산의 원가는 1,002,640백만원(전기: 898,540백만원) 입니다.

+ 재고자산 평가손실 또는 감소손실 등이 있을 경우 해당 금액

⑦ 매입채무, 미지급금 등의 상세 내역

23. 매입채무 및 기타채무

당기말과 전기말 현재 매입채무 및 기타채무의 세부 내역은 다음과 같습니다.

(단위: 천원)

구분	당기말		전기말	
	유동	비유동	유동	비유동
매입채무	117,063,134	-	102,566,480	-
미지급금	81,374,755	782,804	101,722,172	873,520
예수금	5,685,482	-	4,501,830	-
미지급비용	63,480,940	-	55,025,477	-
임대보증금	190,446	-	173,704	29,617
합계	267,794,757	782,804	263,989,663	903,137

⑧ 차입금 상세내역

25. 차입금

(1) 당기말과 전기말 현재 차입금의 세부 내역은 다음과 같습니다.

(단위: 천원)

구분	당기말		전기말	
	유동	비유동	유동	비유동
장기차입금:				
사채	160,000,000	70,000,000	-	230,000,000
사채할인발행차금	(43,647)	(109,058)	-	(325,247)
소계	159,956,353	69,890,942	-	229,674,753
단기차입금:				
원화단기차입금	1,294,432	-	1,735,370	-
외화단기차입금	440,346	-	781,593	-
소계	1,734,778	-	2,516,963	-
합계	161,691,131	69,890,942	2,516,963	229,674,753

(2) 당기말과 전기말 현재 연결실체가 발행한 사채의 내역은 다음과 같습니다.

(단위: 천원)

구분	만기일	당기말 연이자율(%)	당기말	전기말
101회	2022-03-02	2.24	60,000,000	60,000,000
102회	2022-05-29	2.37	50,000,000	50,000,000
103-2회	2022-11-06	2.87	50,000,000	50,000,000
104회	2023-04-23	1.8	70,000,000	70,000,000
합계			230,000,000	230,000,000
유동성 대체			(160,000,000)	-
차감후 잔액			70,000,000	230,000,000

⑨ 판매비와 관리비의 상세내역

29. 판매비와 관리비

당기와 전기 중 판매비와 관리비의 상세내역은 다음과 같습니다.

(1) 판매비

(단위: 천원)

구분	당기	전기
급여	155,583,994	153,664,096
퇴직급여	4,893,341	5,199,212
복리후생비	33,223,917	25,293,349
여비교통비	5,200,291	4,680,988
세금과공과	17,677,140	16,155,381
지급임차료	16,198,133	12,529,603
감가상각비	8,698,049	7,764,610
무형자산상각비	1,596,640	1,821,157
광고선전비	31,011,485	32,895,325
경상개발비	931,017	1,138,091
운반비	74,135,034	71,306,966
지급수수료	59,708,411	60,993,111
판매촉진비	7,946,319	10,488,109
매출채권손상차손(환입)	21,494	(41,044)
사용권자산상각비	4,310,241	3,161,739
기타	21,528,057	21,818,270
합계	442,663,563	428,868,963

⑩ 비용의 성격별 분류 내역

32. 비용의 성격별 분류

당기와 전기 중 비용의 성격별 분류 내역은 다음과 같습니다.

(단위: 천원)

구분	당기			전기		
	매출원가	판매관리비	성격별 비용	매출원가	판매관리비	성격별 비용
원재료 등의 사용액	903,652,915	-	903,652,915	785,645,250	-	785,645,250
상품의 구매액	108,751,785	-	108,751,785	123,399,303	-	123,399,303
재고자산의 변동	(9,765,099)	-	(9,765,099)	(10,505,299)	-	(10,505,299)
종업원급여	83,311,560	219,140,512	302,452,072	80,552,705	237,440,392	317,993,097
세금과공과	2,418,142	19,444,572	21,862,714	2,285,750	17,944,426	20,230,176
지급임차료	200,134	19,600,288	19,800,422	181,863	15,821,613	16,003,476
감가상각비 등	119,270,938	19,490,350	138,761,288	110,668,499	18,899,982	129,568,481
사용권자산상각비	776,922	10,209,109	10,986,031	274,605	9,120,900	9,395,505
광고선전비	-	31,011,485	31,011,485	-	32,895,325	32,895,325
운반비	1,578,575	74,135,034	75,713,609	1,193,797	71,306,966	72,500,763
차량유지비	195,143	3,905,798	4,100,941	167,505	3,733,367	3,900,872
지급수수료	43,737,296	91,505,162	135,242,458	38,923,140	90,875,358	129,798,498
기타	154,981,505	85,037,672	240,019,177	143,970,828	78,901,646	222,872,474
합계	1,409,109,816	573,479,982	1,982,589,798	1,276,757,946	576,939,975	1,853,697,921

⑪ 기타수익 비용의 상세내역

30. 기타수익과 기타비용

당기와 전기 중 기타수익과 기타비용의 상세내역은 다음과 같습니다.

(단위: 천원)

구분	당기	전기
기타수익:		
외환차익	908,208	692,189
외화환산이익	30,825	1,158
유형자산처분이익	892,082	3,735,021
무형자산손상차손환입	152,310	874,917
관계기업투자처분이익	−	127,707
보험금수익(*)	−	13,164,595
기타	3,731,608	8,585,672
소계	5,715,033	27,181,259
기타비용:		
외환차손	(160,506)	(519,367)
외화환산손실	(52,274)	(76,176)
유형자산처분손실	(3,469,958)	(4,042,706)
무형자산처분손실	(40,973)	(21,665)
무형자산손상차손	−	(440,718)
사용권자산손상차손	−	(705,051)
기부금	(2,718,082)	(1,136,070)
매출채권처분손실	(22,558)	(37,967)
기타	(1,129,831)	(2,976,660)
소계	(7,594,182)	(9,956,380)
순기타수익(비용)	(1,879,149)	17,224,879

 그 외에도 법인세비용 및 이연법인세, 환위험(해당 기업의 외화자산 내역) 등 각 재무제표를 구성하고 있는 거의 대부분의 요소들에 대해 설명하는 자료가 있습니다.

Tip 주석을 읽는 법

① 일단 읽는다. (본 시리즈의 30편까지 다 읽었다는 가정)

② 끝까지 읽는다. 이해가 안 가도 일단 읽어 나감

③ 다 읽으면 몇 번 더 읽음

④ 금액이 적은 부분, 덜 중요하다고 판단되는 부분은 생략하고

금액이 크면서 이해가 안가는 부분은 인터넷 검색 등을 하며 분석

⑤ 다 읽으면(이해가 다 안됐더라도) 타 기업의 재무제표 주석도 똑같은 방식으로 읽음

⑥ 이 과정을 반복하면 다른 기업들이라도 주석에서 비슷한 패턴이 확인됩니다. 그만큼 읽는 속도가 빨라지고 생략할 건 생략하면서 분석을 더 빨리 끝낼 수 있게 됩니다.

▶ 기업의 역사

– 1978년 비닐봉투를 생산하는 리노공업사에서 시작했습니다. 헤드폰 부품, 카메라 케이스 등 사업 다각화에 이어 1980년대 중반 인쇄회로기판(PCB)에 있는 전자부품들 간에 전류가 제대로 흐르는지 검사하는 핀을 개발하였습니다.

이후 반도체가 미래 고부가가치 업종으로 부상하고 있고 삼성스룹도 반도체 사업에 본격적으로 뛰어들면서, 리노공업은 반도체칩이 설계된 목적에 맞게 기능을 하는지 검사하는 정밀부품 시장에 뛰어들게 됩니다.

▶ 사업의 내용, 주요 제품별 매출 현황

– 사업 내용에 대해서는 리노공업 홈페이지에 있는 IR Report에 깔끔히 정리되어 있어 해당 내용을 그대로 올리겠습니다.

Ⅱ. 사업 분야
01. LEENO PIN

- 반도체나 인쇄회로기판의 전기적 불량여부를 체크하는 소모성부품입니다.
- Test Probe용 'LEENO PIN'은 당사 자체브랜드로 국내외 1,400여 업체가 사용 중에 있습니다.
- 최근 IT부품들의 소형화에 따라 미세핀의 수요가 증가하고 있으며, 'LEENO PIN' 사업부문은 다품종 소량 생산 방식에 특화되어 있는 기술경쟁력을 바탕으로 국내 선두의 경쟁력을 유지하고 있습니다.

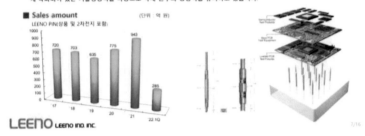

출처: 리노공업 IR Report

☞ 리노핀은 리노 자체 브랜드로 반도체나 인쇄회로기판의 전기적 불량여부를 체크하는 "소모성 부품"입니다. 또 중요한 점은 "다품종 소량 생산 방식" 이라는 점.

→ 소모성 부품과 다품종(25,000여종) 소량 생산 방식 그리고 낮은 단가(소모성이라 한번 쓰고 버림)는 리노공업에 엄청난 진입장벽을 만들어주고 있습니다.

→→ 반도체 테스트기를 사는 입장에선 굳이 부담없는 가격 그리고 반도체가 바뀔때마다 테스트기도 바꿔야하는 번거로움 때문에 이 사업을 내제화할 요인이 없습니다.

→→ 후발주자 입장에선 낮은 단가에 다품종 생산은 부담스러운 사업 환경으로 작용합니다.

→ 또한 반도체 시장의 특성을 생각해보면, 기존 반도체 생산 업체에서 당사의 테스트 장비로 잘 받고 있다가 만에하나 다른 기업의 반도체 테스트 장비를 사용하여 잘못될 경우 생산된 반도체 전체가 폐기될 위험성으로 인해 한번 당사를 선택하면 바꿀 유인을 찾기가 어렵습니다.

02. IC TEST SOCKET

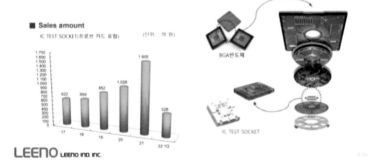

* IC TEST SOCKET은 메모리/비메모리 반도체의 이상 유무를 진단하는 검사장비의 핵심 부품입니다.
* 글로벌 태블릿PC와 스마트폰의 활황에 따라 비메모리 검사소모품의 수요가 늘어나면서 지속적인 매출증가 추세가 이어지고 있습니다.
* 리노공업은 IC TEST SOCKET의 지속적인 경쟁력 확보를 위해 노력하고 있습니다.

출처: 리노공업 IR Report

☞ 리노핀과 함께 리노공업 매출의 많은 부분을 차지하는 IC TEST SOCKET입니다.

→ 태블릿과 스마트폰등 비메모리 반도체 검사 소모품으로 사용됩니다.

→ 리노핀과 IC TEST SOCKET은 응용 범위가 넓어 IDM 종합

반도체업, 팹리스, 파운드리, 패키징 및 테스트, 전기전자업 등 여러 사업 분야에서 매출이 발생하고 있습니다.

→ 또한 당사는 반도체 및 전기전자업체 등 고객의 주문에 따라 제품을 설계하고 제작하고 있습니다.

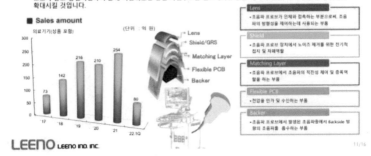

☞ 초음파 프로브 등에 사용되는 의료기기 부품을 제조하고 있으며 리노핀, IC TEST SOCKET 에 비해 매출 비중은 떨어지지만 매출액 자체는 늘어나는 추세입니다.

※ 당사는 연결대상 종속회사, 계열회사가 없으며 타법인 출자 현황은 아래와 같습니다.

3. 타법인출자 현황(상세)

☞ 본문 위치로 이동

(기준일 : 2021년 12월 31일) (단위 : 천원, 주, %)

법인명	상장 여부	최초취득일자	출자 목적	최초취득금액	기초잔액			증가(감소)			기말잔액			최근사업연도 재무현황	
					수량	지분율	장부 가액	취득(처분) 수량	금액	평가 손익	수량	지분율	장부 가액	총자산	당기 순손익
브리지	비상장	2007.11.21	투자	999,950	35,712	14.24	999,950				35,712	14.24	999,950	10,148,196	-1,634,910
엠투엔	비상장	2007.12.07	투자	2,579,170	468,940	9.59					468,940	9.59		45,171,947	4,037,523
합계							999,950						999,950		

☞ 브리지, 엠투엔이라는 비상장 기업으로 경영참여가 아닌 단순
투자 목적입니다.

♣ 손익계산서(2013 ~ 2022) 분석

구분	2013	2014	2015	2016	2017	2018	2019	2020	2021	2022
매출액	80,640	93,422	99,475	112,789	141,511	150,354	170,307	201,335	280,167	322,422
매출액 증감율		13.7%	6.1%	11.8%	20.3%	5.9%	11.7%	15.4%	28.1%	13.1%
매출원가	43,843	51,138	53,890	63,758	81,881	82,355	96,153	112,558	148,929	167,794
매출원가율 증감율		16.6%	5.4%	18.3%	28.4%	0.6%	16.8%	17.1%	32.3%	12.7%
매출원가율	54.4%	54.7%	54.2%	56.5%	57.9%	54.8%	56.5%	55.9%	53.2%	52.0%
매출총이익	36,796	42,284	45,585	49,030	59,630	68,000	74,155	88,778	131,238	154,628
판매관리비	7,967	9,565	9,575	9,714	10,473	10,455	10,013	10,896	14,134	17,993
판매관리비 증감율		20.1%	0.1%	1.5%	7.8%	-0.2%	-4.2%	8.8%	29.7%	27.3%
판매관리비율	9.9%	10.2%	9.6%	8.6%	7.4%	7.0%	5.9%	5.4%	5.0%	5.6%
영업이익	28,829	32,718	36,010	39,316	49,157	57,544	64,142	77,882	117,104	136,634
영업이익 증감율		13.5%	10.1%	9.2%	25.0%	17.1%	11.5%	21.4%	50.4%	16.7%
영업이익률	35.8%	35.0%	36.2%	34.9%	34.7%	38.3%	37.7%	38.7%	41.8%	42.4%

구분	2013	2014	2015	2016	2017	2018	2019	2020	2021	2022
금융손익	1,790	2,028	699	1,237	1,476	1,780	2,805	2,011	1,766	5,696
기타손익	1,722	3,702	3,948	5,370	1,277	10,150	4,008	-6,340	20,023	11,745
당기순이익	26,181	30,867	32,632	35,396	40,362	48,642	52,790	55,379	103,806	114,363
당기순이익 증감율		17.9%	5.7%	8.5%	14.0%	20.5%	8.5%	4.9%	37.1%	10.2%
당기순이익률	32.5%	33.0%	32.8%	31.4%	28.5%	32.4%	31.0%	27.5%	37.1%	35.5%
주당순이익	1,718	2,026	2,160	2,343	2,672	3,219	3,485	3,648	6,839	7,534

		1년 평균	
매출액 증가율	28.1%		
매출원가 증가율	32.3%	매출원가율	53.2%
영업이익 증가율	50.4%	영업이익률	41.8%
당기순이익 증가율	87.4%	당기순이익률	37.1%

		5년 평균	
매출액 증가율	16.3%		
매출원가 증가율	19.0%	매출원가율	55.6%
영업이익 증가율	25.1%	영업이익률	38.2%
당기순이익 증가율	27.1%	당기순이익률	31.3%

		10년 평균	
매출액 증가율	14.1%		
매출원가 증가율	16.9%	매출원가율	55.3%
영업이익 증가율	19.8%	영업이익률	37.0%
당기순이익 증가율	20.9%	당기순이익률	31.8%

- 가장 눈에 띄는 점은 30%가 넘는 영업이익률입니다. 10년 평균으로 이미
30%가 넘고 2022년 기준으로는 37%에 육박하는 모습입니다.
- 그리고 10년간 예외없이 매출액과 영업이익이 증가해오고 있습니다. 2013년 대비 매출액, 영업이익, 당기순이익은 약 4배 가량 증가한 모습으로 굉장한 성장률을 보여주었습니다.
- 한편 매출원가율은 10년 평균 55%로 큰 변동이 없는 모습입니다. 이는 그만큼 원가. 즉 비용관리에 굉장히 안정된 모습을 보여주어 향후 미래의 이익 규모를 쉽게 예측할 수 있도록 합니다.
- 10년 평균 매출액의 증가율은 14.1%, 원가의 증가율은 16.9%로 원가의 증가율이 높은 듯 싶지만, 원가율이 55%로 낮고 매출액이 훨씬 더 큰 금액이기 때문에 결과적으로 매출총이익은 지난 10년간 3배 이상 증가해왔습니다. 이는 안정된 원가, 그리고 판매 단가를 효과적으로 증대시켜 이익을 증가시키는 모습으로 귀결됩니다.

03. 주요 고객사

■ 세계 반도체 디바이스 유형별 출하량

(단위: 백만 대)

디바이스 유형	2020년	2021년	2022년
전통적 PC(데스크톱, 노트북)	178.279	169.891	161.672
울트라모바일(프리미엄)	72.529	76.789	80.036
PC 시장 합계	**250.807**	**246.680**	**241.708**
기타 울트라모바일(기본, 유틸리티)	138.712	134.255	132.465
컴퓨팅 디바이스 시장 합계	**389.519**	**380.935**	**374.173**
모바일	1.776.779	1.771.242	1.756.936
전체 디바이스 시장 합계	**2.166.298**	**2.152.177**	**2.131.109**

(출처: 가트너 (2020년 1월))

가트너는 상기와 같이 2022년도 PC, 태블릿, 휴대전화를 포함한 IT 디바이스의 전 세계 출하량이 21억대에 달할 것으로 예상을 하고 있습니다 그 중 하이엔드 스마트폰 등이 주도하는 울트라모바일(프리미엄) 시장은 5G 네트워크 확대 등의 영향으로 2021년에도 성장세를 유지할 것으로 전망하고 있습니다.

이러한 추세와 IoT, AI, 5G, VR, AR, 빅데이터, 메타버스, 자율주행 및 전기자동차 등 4차 산업 부각에 따라, 각 디바이스에 투입되는 반도체의 유형과 기능이 다양해지면서 반도체 테스트에 요구되는 기능과 특성도 다변화할 것으로 전망하고 있습니다. 당사는 반도체 테스트 시장의 요구에 LEENO PIN과 IC TEST SOCKET 등으로 적극 대응하여 신규 IT 시장의 성장과 동행할 것입니다.

품목	품목	2013	2014	2015	2016	2017	2018	2019	2020	2021	2022
LEENO PIN 류	수출	26.038.974 (32%)	28.448.246 (30%)	28.345.732 (28%)	38.152.436 (28%)	46.375.065 (33%)	41.331.444 (27%)	38.846.323 (23%)	50.934.662 (25%)	64.503.071 (23%)	78.900.265 (25%)
	내수	23.299.526 (29%)	22.288.053 (24%)	19.162.018 (19%)	19.963.678 (17%)	25.002.620 (18%)	28.336.047 (19%)	24.104.263 (14%)	26.375.825 (13%)	29.599.112 (11%)	30.311.522 (9%)
	합계	49.338.500 (14%)	50.736.299 (15%)	47.507.750 (14%)	57.716.114 (14%)	71.377.685 (14%)	69.667.501 (14%)	63.040.586 (14%)	77.310.487 (14%)	94.103.083 (14%)	109.220.787 (14%)
IC TEST SOCKET 류	수출	11.389.229 (14%)	23.346.009 (15%)	31.546.424 (14%)	36.483.660 (14%)	39.676.503 (28%)	43.728.893 (32%)	57.952.425 (34%)	81.485.122 (34%)	142.662.831 (51%)	164.906.618 (52%)
	내수	16.363.169 (20%)	13.754.684 (15%)	14.928.080 (15%)	12.320.245 (12%)	22.548.608 (16%)	22.173.172 (15%)	27.236.437 (16%)	21.349.014 (11%)	17.605.048 (6%)	19.429.499 (6%)
	합계	27.752.398	37.100.779	46.474.504	48.803.914	62.225.111	65.902.025	85.188.862	102.834.136	160.467.879	184.336.137
총 계		77.090.898	87.837.078	93.982.254	106.520.028	133.602.796	135.560.526	148.229.448	180.144.623	254.570.962	293.556.924
의료기기 부품류	수출	-	-	-	-	-	85.367 (?%)	170.050 (?%)	171.765 (?%)	101.818 (?%)	186.950 (?%)
	내수	-	-	-	-	10.933.671 (?%)	18.641.973 (11%)	18.409.443 (9%)	22.788.131 (8%)	25.540.321 (8%)	
	합계	-	-	-	-		11.019.038	18.812.023	18.581.208	22.889.949	25.727.271
합계	수출	37.514.135 (47%)	51.896.233 (60%)	60.010.646 (60%)	74.693.752 (66%)	86.542.525 (61%)	85.422.334 (57%)	97.037.275 (57%)	132.607.332 (66%)	207.480.592 (74%)	244.010.413 (76%)
	내수	43.125.370 (53%)	41.525.680 (44%)	39.464.709 (40%)	38.094.982 (34%)	54.968.388 (39%)	64.932.039 (43%)	73.270.130 (43%)	68.728.127 (34%)	72.686.241 (26%)	78.412.390 (24%)
	합계	80.639.505	93.421.913	99.475.355	112.788.734	141.510.913	150.354.373	170.307.405	201.335.459	280.166.833	322.422.803

- 리노공업에서 가장 긍정적인 부분은 수출과 내수의 규모입니다. 매년 수출 규모가 커지고 있어요.

리노공업의 주요 고객사는 삼성, 퀄컴, 엔비디아 등 대형 반도체 회사들뿐 아니라 그 외 2021년 기준 국내 940개사, 해외 140개사 등 상당히 많은 고객을 유지하고 있으며 이중 해외 고객으로부터 발생하는 매출액이 총 매출액의 76%(2022년 기준)에 해당하는 것입니다.

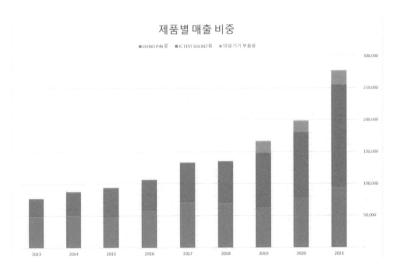

제품별 매출 비중

■LEENO PIN류　■IC TEST SOCKET류　■의료기기 부품류

 - 의료기기는 2018년부터 생산을 시작하였는데, 크진 않지만 이런 신사업 마저도 매년 매출액이 증가하는 추세입니다.

　2013년 기준으로는 리노핀의 매출 비중이 IC TEST SOCKET보다 높았으나 2016년부터 점차 리노핀의 매출비중이 줄어드는 모습입니다. 그만큼 해외　고객사들의 메모리/비메모리 수요가 변동하는 것인데, 이 부분 역시 리노공업에서 인지하고 수요에 맞춰 매출일 늘리는 모습입니다.

⊙ 비용 분석

구분	2013	2014	2015	2016	2017	2018	2019	2020	2021	2022
제품의 변동	-560.828 -(1%)	-240.162 (%)	-230.391 (%)	-392.084 -(1%)	-1.183.205 - (1%)	-900.899 -(1%)	-452.176 (%)	-381.527 (%)	-1.128.782 - (1%)	-330.815 (%)
원재료의 사용액	11.726.305 (23%)	14.425.754 (24%)	15.130.763 (24%)	20.146.976 (27%)	31.025.795 (34%)	34.046.464 (34%)	34.747.823 (33%)	40.519.300 (33%)	55.660.704 (35%)	57.464.780 (31%)
상품의 판매	401.257 (1%)	851.011 (1%)	753.503 (1%)	1.375.970 (2%)	1.633.393 (2%)	1.924.563 (2%)	1.631.692 (2%)	1.208.328 (1%)	1.225.588 (1%)	1.376.196 (1%)
종업원급여	20.133.058 (39%)	22.035.849 (36%)	22.884.312 (36%)	25.515.870 (35%)	29.972.634 (32%)	30.892.805 (31%)	35.954.102 (34%)	44.602.564 (36%)	60.227.190 (37%)	77.356.070 (42%)
감가상각비, 무형자산상각비, 손상차손	3.876.239 (7%)	5.051.787 (8%)	5.713.033 (9%)	6.631.114 (9%)	7.484.430 (8%)	8.530.058 (9%)	8.402.040 (8%)	10.156.785 (8%)	12.335.100 (8%)	14.049.426 (8%)
경상개발비	4.296.167 (8%)	4.527.272 (7%)	4.445.734 (7%)	5.172.556 (7%)	5.283.081 (6%)	5.328.319 (5%)	6.028.820 (6%)	6.303.311 (5%)	8.751.091 (5%)	10.387.923 (6%)
지급수수료	1.562.024 (3%)	2.527.673 (4%)	2.332.215 (4%)	2.048.538 (3%)	2.271.798 (2%)	2.435.223 (2%)	1.758.910 (2%)	1.660.516 (1%)	1.769.902 (1%)	1.902.512 (1%)
지급임차료	211.232 (%)	232.055 (%)	160.237 (%)	38.690 (%)	41.198 (%)	39.823 (%)	42.413 (%)	41.296 (%)	35.104 (%)	29.043 (%)
기타	10.164.471 (20%)	11.292.359 (19%)	12.276.018 (19%)	12.934.884 (18%)	15.824.789 (17%)	16.861.882 (17%)	18.052.151 (17%)	19.343.133 (16%)	21.929.010 (14%)	23.561.938 (13%)
매출원가 및 영업비용의 합계	51.810.015	60.703.598	63.465.424	73.472.514	92.353.913	99.158.238	106.165.775	123.453.706	163.062.480	185.788.073

- 당사의 비용구조는 간단합니다. 원재료비, 인건비, 감가상각비, 그 외 기타

- 원재료비는 말 그대로 반도체 검사 장비를 만드는데 들어가는 재료비를 의미하며 인건비는 생산 및 관리 인원의 인건비 모두 포함입니다. 많은 기업들이 보이는 원재료비>인건비>그외 비용의 형태가 아닌데, 이는 리노공업의 원가율이 낮기에 오히려 원재료비보다 인건비가 더 높은 모습을 띄게 됩니다.

- 감가상각비 역시 큰 비중을 차지하지 않는데, 이후에 보겠지만 유형자산의 비중이 크지 않기 때문입니다.

- 다만 비용의 구조에서 인건비는 단기적 시간에서는 고정비의 성격으로 리노공업의 매출액이 꾸준히 상승세를 보이지 않는다면 단기적으로 인건비가 부담이 되어 이익률이 줄어들 수 있습니다.

♣ 재무상태표(2013 ~ 2022) 분석

구 분	2013	2014	2015	2016	2017	2018	2019	2020	2021	2022
유동자산	90,245	99,648	105,138	137,686	168,322	197,338	225,547	257,710	335,723	377,024
현금+단기투자자산	71,782	78,939	85,701	112,748	135,522	159,487	167,504	211,640	282,971	317,133
매출채권	13,916	16,106	14,655	17,236	24,633	27,588	46,539	32,408	40,805	46,150
재고자산	3,981	4,541	4,601	5,565	7,955	9,435	11,123	12,349	11,597	13,111
비유동자산	57,634	66,930	83,203	79,032	78,162	85,283	100,169	103,823	130,648	154,463
유형자산	46,024	56,316	63,747	68,639	68,592	77,206	84,647	96,290	124,382	128,454
영업권, 무형자산	1,008	1,476	1,541	1,560	1,741	1,650	1,710	2,150	2,026	1,821
장기투자자산	9,341	7,820	16,518	8,617	7,448	6,210	13,309	4,416	2,893	21,153
자산 총계	147,879	166,578	188,341	216,719	246,484	282,622	325,716	361,533	466,371	531,488

구 분	2013	2014	2015	2016	2017	2018	2019	2020	2021	2022
유동부채	8,123	9,479	9,357	13,907	17,849	18,771	23,006	21,920	45,990	36,383
매입채무	4,645	4,913	4,715	7,125	10,701	9,114	10,906	10,952	17,911	11,611
당기법인세부채	3,469	4,522	4,597	6,741	7,076	9,612	11,903	10,822	27,844	24,669
비유동부채	319	838	833	1,891	688	1,007	2,531	2,272	2,678	1,921
퇴직급여부채	319	838	833	1,041		747	1,375	920	1,026	0
장기충당부채							1,021	1,269	1,502	1,781
부채 총계	8,442	10,317	10,191	15,797	18,538	19,778	25,538	24,192	48,668	38,304
자본 총계	139,437	156,261	178,150	200,921	227,946	262,844	300,178	337,341	417,703	493,184
부채비율	6.1%	6.6%	5.7%	7.9%	8.1%	7.5%	8.5%	7.2%	11.7%	7.8%
유동비율	1111%	1051%	1124%	990%	943%	1051%	980%	1176%	730%	1036%

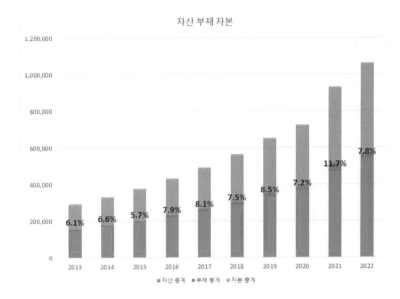

자산 부채 자본

- 10년 평균 부채비율은 7.7%, 유동비율은 1019%로 상당한 재무 안정성을 보여주고 있습니다. 부채는 매우 적고 유동자산은 유동부채를 모두 변제하고도 남는 모습입니다. 게다가 2022년 기준 무차입 경영을 하고 있습니다.

- 자산 분석 -

자산 구성

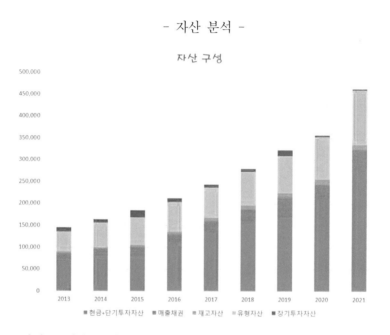

자산은 대부분 현금및현금성자산이며 그 외 유형자산과 매출채권 등이 있습니다.

→ 제조업임에도 불구하고 유형자산의 비중보다 현금성자산의 비중이 압도적으로 높으며 유형자산의 비중이 더 적은 모습입니다.

 - 이는 높은 이익률과 낮은 자본적 지출비율을 통해 알 수 있는데, 이익률이 높아 쌓이는 자본은 많고 유형자산 재투자가 적어 지

출되는 현금은 적은 편입니다. 그러다보니 현금이 쌓이고 쌓여 현재의 모습을 이루고 있습니다.

⊙ 매출채권과 매입채무 분석

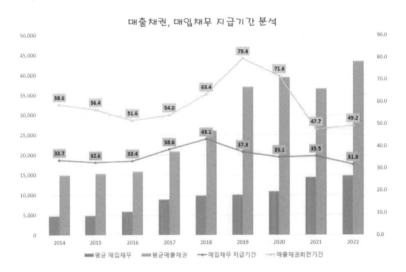

매출채권, 매입채무 지급기간 분석

- 매출채권의 평균 회전기간은 59일로 빠른 편입니다. 이는 외상으로 매출해준 뒤 현금으로 회수하는 데까지 걸리는 긱나이 59일이라는 의미입니다. 매우 적정한 수준으로 판단됩니다만 사실 현금성자산의 비중이 워낙 크고 상대적으로 매출채권의 비중이 낮아 매출채권 분석의 중요성은 다소 떨어지긴 합니다.

구 분	계정과목	채권 총액	대손충당금	대손충당금 설정률
제27기(당기)	매출채권	39,443	117	0.3
제26기(전기)	매출채권	35,503	132	0.4
제25(전전기)	매출채권	29,250	137	0.5

최근 3개년의 매출채권에 대한 대손충당금 설정률은 1% 미만으로 매우 안정적인 모습입니다. 외상으로 매출해준 뒤 현금을 못받는 사례는 많지 않은 모습입니다.

한편 매입채무의 지급기간 역시 평균 35일로 짧습니다. 이는 외상으로 원재료 재고자산 등을 매입한 뒤 현금으로 지출하는 데까지 걸리는 기간이 35일이라는 의미로 이 기간이 짧을수록 회사 내 현금이 유보되어있는 기간이 짧고 지출될 가능성이 높습니다. 다만 앞서 언급한 듯이 리노공업의 경우 현금성자산이 많아 매입채무 지급에 의한 경영부담은 크지 않을 듯 합니다.

⊙ 재고자산 분석

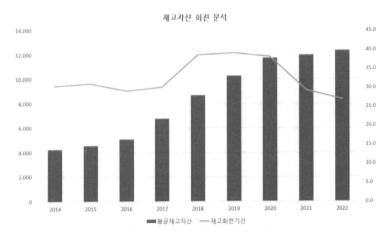

재고자산 회전 분석

구분	2014	2015	2016	2017	2018	2019	2020	2021	2022
재고자산	4,541	4,601	5,565	7,955	9,435	11,123	12,349	11,597	13,111
재고자산/총자산	2.7%	2.4%	2.6%	3.2%	3.3%	3.4%	3.4%	2.5%	2.5%
평균재고자산	4,261	4,571	5,083	6,760	8,695	10,279	11,736	11,973	12,354
재고자산회전율	12.0	11.8	12.5	12.1	9.5	9.4	9.6	12.4	13.6
재고회전기간	30.4	31.0	29.1	30.1	38.5	39.0	38.1	29.3	26.9

재고자산의 평균회전기간은 32일로 역시 매우 짧은 수준입니다. 이는 원재료 등 재고자산으로 매입한 뒤 제품으로 완성되어 매출로 이어지는 데까지 걸리는 기간이 32일이라는 의미입니다.

그런데 사실 리노공업의 사업구조를 생각하면 이 기간은 짧을 수밖에 없어요. 다품종 소량생산으로 고객사의 주문 요청에 따라 제작하기 때문에 제품으로 재고에 남아있을 수 없고, 즉시 매출로 이어질 가능성이 큽니다. 결과적으로 재고의 회전기간이 빠르다는 것은 그만큼 재고로 인한 폐기, 평가손실위험을 줄이고 매출로 이어지게 되어 재고와 관련된 안전성을 높여주게 됩니다.

⊙ 유형자산 분석

구 분	기초	취득	처분	감가상각	대체	기말
토지	26,317,180	-	-	-	-	26,317,180
건물	33,336,036	44,618	-	(946,350)	-	32,434,304
기계장치	61,520,533	10,001,200	(281,581)	(12,089,411)	-	59,150,741
연구개발시설	130,981	255,000	(1)	(86,001)	-	299,979
차량운반구	158,718	103,107	(2)	(40,911)	-	220,913
공구와기구	515,452	159,011	-	(183,717)	-	490,746
시설장치	901,343			(177,343)	-	724,000
비품	1,136,954	257,574	(13)	(356,080)	-	1,038,435
건설중인자산	119,085	7,590,282	(161,285)		-	7,548,082
사용권자산	246,099	107,179		(122,804)	-	230,474
합계	124,382,381	18,517,971	(442,882)	(14,002,617)	-	128,454,854

(단위 : 천원)

유형자산은 기계장치, 건물, 토지가 많은 비중을 차지합니다. 기계
장치의 경우 리노공업은 정액법, 내용연수를 8년으로 추정하고 있
어 감가상각비는 내용연수 내에 안분하여 발생하고 있습니다. 기계
장치의 내용연수가 짧아 해당 감가상각비가 제법 발생하는 편이나
기계장치가 토지, 건물에 비해 압도적으로 많진 않기 때문에 감가
상각부담은 크지 않을 듯 합니다.

■ 유무형자산 등 영업자산 대비 영업이익률 분석

구분	2012	2013	2014	2015	2016	2017	2018	2019	2020	2021
영업이익	28,829	32,718	36,010	39,316	49,157	57,544	64,142	77,882	117,104	136,634
영업자산	51,579	62,394	70,071	75,993	78,499	89,120	97,861	112,102	138,356	144,015
영업자산 ROI	55.9%	52.4%	51.4%	51.7%	62.6%	64.6%	65.5%	69.5%	84.6%	94.9%

리노공업의 10년 평균 영업자산이익률은 65%로 매우 높은 수준
입니다. 매출액 대비 영업이익률이 평균 37%였던 점을 감안하면
당사는 주어진 유무형자산 등 영업자산을 활용해 상당히 높은 이

익을 창출하고 있음을 알 수 있습니다.

- 부채 분석 -

구분	2013	2014	2015	2016	2017	2018	2019	2020	2021	2022
유동부채	8,123	9,479	9,357	13,907	17,849	18,771	23,006	21,920	45,990	36,383
매입채무	4,645	4,913	4,715	7,125	10,701	9,114	10,906	10,952	17,911	11,611
당기법인세부채	3,469	4,522	4,597	6,741	7,076	9,612	11,903	10,822	27,844	24,669
비유동부채	319	838	833	1,891	688	1,007	2,531	2,272	2,678	1,921
퇴직급여부채	319	838	833	1,041		747	1,375	920	1,026	0
장기 충당부채							1,021	1,269	1,502	1,781
부채 총계	8,442	10,317	10,191	15,797	18,538	19,778	25,538	24,192	48,668	38,304
자본 총계	139,437	156,261	178,150	200,921	227,946	262,844	300,178	337,341	417,703	493,184
부채비율	6.1%	6.6%	5.7%	7.9%	8.1%	7.5%	8.5%	7.2%	11.7%	7.8%
유동비율	1111%	1051%	1124%	990%	943%	1051%	980%	1176%	730%	1036%

리노공업의 부채는 크게 분석할 내용은 없습니다. 부채 비율도 낮
고 부채의 금액 자체도 매우 적습니다. 무차입경영에 부채는 대부
분 매입채무와 법인세부채로 매입채무는 매출채권과 함께 살펴보
았기에 별도 분석은 생략하겠습니다.

♣ 자본 부문 요약

무상증자 결정

1. 신주의 종류와 수	보통주 (주)	7,220,070
	우선주 (주)	0
2. 1주당 액면가액 (원)		500
3. 증자전 발행주식총수	보통주 (주)	8,022,300
	우선주 (주)	0
4. 신주배정기준일		2013년 06월 14일
5. 1주당 신주배정 주식수	보통주 (주)	0.9
	우선주 (주)	0
6. 신주의 배당기산일		2013년 01월 01일
7. 신주권교부예정일		2013년 07월 05일
8. 신주의 상장 예정일		2013년 07월 08일
9. 이사회결의일(결정일)		2013년 05월 29일
- 사외이사 참석여부	참석(명)	2
	불참(명)	0
- 감사(감사위원)참석 여부		참석

- 2013년 7,220,070주를 0.9주 비율로 무상증자한 이력이 있으며 그 외 주식수, 자본과 관련하여 특이사항은 없습니다.

4. 주식의 총수 등

가. 주식의 총수 현황

(기준일 :　2023년 06월 30일　)　　　　　　　　　　　　(단위 : 주)

| 구 분 | 주식의 종류 | | | 비고 |
	보통주	-	합계	
Ⅰ. 발행할 주식의 총수	25,000,000	-	25,000,000	-
Ⅱ. 현재까지 발행한 주식의 총수	15,242,370	-	15,242,370	-
Ⅲ. 현재까지 감소한 주식의 총수	-	-	-	-
1. 감자	-	-	-	-
2. 이익소각	-	-	-	-
3. 상환주식의 상환	-	-	-	-
4. 기타	-	-	-	-
Ⅳ. 발행주식의 총수 (Ⅱ-Ⅲ)	15,242,370		15,242,370	-
Ⅴ. 자기주식수	63,250	-	63,250	-
Ⅵ. 유통주식수 (Ⅳ-Ⅴ)	15,179,120	-	15,179,120	-

- 리노공업은 자사주 매입활동을 거의 하지 않기 때문에 자사주 보유 수량은 매우 적습니다.

♣ 현금흐름표 (2013 ~ 2022) 분석

현금흐름	2013	2014	2015	2016	2017	2018	2019	2020	2021	2022
영업활동현금흐름	25,382	38,720	29,289	41,570	35,087	57,652	45,357	99,804	130,581	108,593
투자활동현금흐름	-18,539	-24,957	-19,074	-2,562	-10,022	-58,438	-40,712	-7,674	-131,720	-117,259
재무활동현금흐름	-8,046	-13,205	-10,760	-12,086	-13,597	-15,108	-16,773	-18,344	-22,902	-38,069

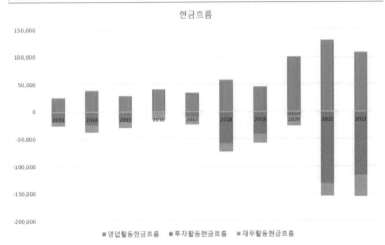

현금흐름

■영업활동현금흐름 ■투자활동현금흐름 ■재무활동현금흐름

- 전반적으로 현금흐름은 매우 무난한 편입니다. 영업활동으로 현금을 벌어들이고 있으며 (+), 투자와 재무활동으로 벌어들인 현금을 지출(-)하고 있습니다.

⊙ 영업활동현금흐름

현금흐름	2013	2014	2015	2016	2017	2018	2019	2020	2021	2022
당기순이익	26,181	30,867	32,632	35,396	40,362	48,642	52,790	55,379	103,806	114,363
감가상각비, 상각비	3,876	5,052	5,713	6,631	7,484	8,530	8,402	10,157	12,335	13,835
매출채권의 감소(증가)	-732	-2,203	1,688	-2,339	-7,517	-3,323	-15,775	12,626	-6,195	-5,910
재고자산의 감소(증가)	-1,159	-587	-94	-995	-2,414	-1,505	-1,727	-1,253	474	-1,619
장기투자자산 감소(증가)	-2,000	4,000	-9,885	122			-97	15,839	4,422	0
매입채무의 증가(감소)	-57	242	-252	632	1,732	-995	1,538	-63	128	-27
선수금의 증가(감소)	-31	-153	21	1,407	851	-333	-1,747	703	6,343	-6,758
퇴직충당부채 증가	-1,388	-1,146	-1,901	-1,781	-2,321	-749	-1,822	-2,150	-2,686	-5,268
이자 유입액	1,708	2,197	1,403	1,113	1,012	1,579	2,582	2,404	1,457	5,098
법인세 납부	-6,523	-6,464	-7,953	-8,261	-9,551	-12,392	-16,517	-19,714	-18,232	-42,660
영업활동현금흐름	25,382	38,720	29,289	41,570	35,087	57,652	45,357	99,804	130,581	108,593

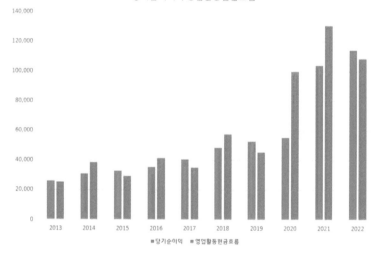

당기순이익과 영업활동현금흐름

■당기순이익　■영업활동현금흐름

- 전반적으로 당기순이익과 영업활동의 규모가 큰 차이는 나지 않습니다. 일반적인 제조업의 경우 감가상각비로 인해 영업활동현금흐름이 당기순이익보다 다소 더 좋게 나타나지만 리노공업의 경우 유형자산의 규모가 적어 감가상각비 역시 많이 발생하지 않는 편입니다.

- 주요 요소들을 살펴보면 주로 매출채권과 장기투자자산, 법인세

등으로 인해 현금흐름의 변동이 많이 결정되는 편입니다. 특히 매출채권의 경우 거의 매년 증가하는데 이는 매출액이 증가함에 따라 늘어나는 당연한 결과입니다. 뿐만 아니라 재고, 매입채무, 선수금 역시 꾸준히 매출이 증가하면서 변동하는 부분이기에 크게 살펴볼 필요는 없을 듯 합니다.

- 그보다는 유무형자산의 손상차손, 사업처분손익 등이 없는 것으로 보면 본업 외의 활동이 크지 않은 점을 알 수 있습니다. 이는 당기순이익과 영업현금흐름간의 편차가 크지 않고 예측가능하게 해주기에 긍정적인 부분입니다.

좀 특이한 부분이 있는데, 당기손익 금융자산(당사의 경우 비상장, 비상장 주식 등)의 증가와 감소를 영업활동현금흐름에 포함시켰습니까?

→ 금융자산은 보통 투자활동현금흐름에 포함시켜서 그 매입-처분에 따라 현금 유출-유입을 기록하는데 당사는 매입-처분 활동을 영업활동현금흐름에 포함시켜놓은 모습입니다.

→ 부실한 회사가 영업활동현금흐름을 좋아보이게 하기 위해 이렇게 할 수도 있겠는데 당사는 그럴 사정도 아닌데 특이한 부분입니다.

2) 당기말과 전기말 현재 당기손익-공정가치 측정 금융자산의 내역은 다음과 같습니다.

(단위 : 천원)

종목명	당기말			전기말		
	취득원가	공정가치	장부금액	취득원가	공정가치	장부금액
유동자산 :						
사모파생결합사채(DLB)	-	-	-	5,000,000	4,993,525	4,993,525
소계	-	-	-	5,000,000	4,993,525	4,993,525
비유동자산 :						
부산도금사업협동조합	1,000	1,000	1,000	1,000	1,000	1,000
한국도금사업협동조합	100	100	100	100	100	100
부산강서청정도금사업협동조합	457,609	457,609	457,609	457,609	457,609	457,609
부산녹산도금사업협동조합	300,243	300,243	300,243	300,243	300,243	300,243
㈜브리지	999,950	999,950	999,950	999,950	999,950	999,950
㈜엠투엔(*)	2,579,170	-	-	2,579,170		
CCVC-부산 청년창업펀드	429,242	429,242	429,242	446,745	446,745	446,745
소계	4,767,314	2,188,144	2,188,144	4,784,817	2,205,647	2,205,647
합계	4,767,314	2,188,144	2,188,144	9,784,817	7,199,172	7,199,172

(*) 상기 당기손익-공정가치 측정 금융자산 중 ㈜엠투엔의 주식은 누적손실 등으로 인해 사실상의 회수가능가액이 없는 것으로 보아 전기 이전에 취득원가 2,579,170천원을 매도가능금융자산손상차손의 계정과목으로 하여 금융비용으로 계상하였습니다.

  추측해보자면, 2021년 기준 당기손익-공정가치 측정 금융자산은 각 도금사업협동조합? 이라는 곳에 납입한 현금으로 보이는데, 아마 협동조합 출자금 형식으로 예금을 해놓은 것이 아닌가 싶습니다. 당사는 이런 도금협동조합의 출자금을 영업활동과 관련된 사항으로 보고 이 예금 및 인출 활동을 영업활동현금흐름으로 분류하는 듯 합니다.

  → 엠투엔 비상장주식은 사실상 회수 불가로 판단하고 구입액 25억 전체를 손상차손으로 비용처리한 모습이 보입니다.

  ☞ 그 외 유형자산처분손실, 매출채권처분손실 등 특이한 사항이 보이긴 하지만 금액 비중이 적어 생략하도록 하겠습니다.

⊙ 투자활동현금흐름

현금흐름	2013	2014	2015	2016	2017	2018	2019	2020	2021	2022
투자활동현금흐름	-18,539	-24,957	-19,074	-2,562	-10,022	-58,438	-40,712	-7,674	-131,720	-117,259
CAPEX	-15,757	-16,585	-13,568	-11,868	-7,983	-17,494	-15,828	-22,462	-45,338	-18,249
투자자산 처분(매입)	-3,165	-8,842	-5,597	9,357	-2,201	-40,862	-26,307	16,126	-96,938	-99,010
자본적 지출 비율	-34.3%	누적 당기순이익		540,418	누적 자본적 지출	-185,131				

☞ 당사의 투자활동현금흐름은 대부분 유형자산의 취득(CAPEX투자)과 주식 채권 등 금융자산 매입에 따른 현금 유출입니다.

→ 제조업임에도 워낙 고부가가치에 해당되다보니 현금이 쌓이고 이를 금융자산 취득에 사용하는 여유를 보이고 있습니다.

★ 자본적 지출

- 10년 누적 당기순이익 대비 CAPEX 투자 비율은 34.3%. 즉 10년간 당기순이익의 34.3%에 해당하는 금액을 유형자산(기계장비 등) 취득에 사용하고 있습니다.

→ 이는 이 정도 매출성장률과 당기순이익률을 보이는 기업으로서는 굉장히 낮은 비중입니다. 즉 당사는 유형자산에 대규모 투자를 하며 격차를 벌리는 것이 아니라 순수 기술력과 시장 경쟁력을 통해 매출 증대를 이어오고 있음을 의미합니다.

★★ 그런데 그럼 혹시나 이러한 기술력을 유지하기 위해 연구개발비에 막대한 투자를 진행하고 있느냐도 살펴보았습니다.

구 분	2021	2020	2019	2018	2017	2016	2015	2014	2013	2012
투자활동현금흐름	-131,720	-7,674	-40,712	-58,438	-10,022	-2,562	-19,074	-24,957	-18,539	-18,970
자산,장비 구매	-45,110	-21,737	-15,509	-17,302	-7,558	-11,632	-13,316.5	-15,979.0	-15,537.8	-13,379
연구개발비	8,751	6,303	6,029	5,328	5,283	5,173	4,446	4,527	4,296	3,294
주식 재문 순취득	-86,371	16,126	-26,306	-40,862	-2,201	9,337	-5,517	-8,989	-3,424	-5,896
자본적 지출비율	39.3%	당기순익 누계	450,917.1	CAPEX 누계		177,061.3	연구개발비 포함 자본적 지출비율	51%		

☞ 연구개발비 지출은 투자활동현금흐름 지출에 해당하지는 않지만 CAPEX투자와 비슷한 성격으로 판단하고 자본적 지출 비율을 계산해봤습니다.

→ (지난 10년 유형자산취득액 + 연구개발비) / 10년 누적 당기순이익 = 51%입니다.

→ 연구개발비의 비중도 크지 않은 모습입니다.

★★★ 결론 ★★★

① 자본적 지출 비율도 40% 미만. 규모의 경제로 경쟁사를 제치고 있는 것도 아니다.

② 연구개발비도 적다. 같이 계산해봐야 51%

 - 그런데

③ 10년간 매출은 증가하고 있고, 평균 영업이익률은 37%로 굉장한 이익을 창출하고 있다.

☞ 1,2의 조건임에도 3을 유지하고 있다는 것은 시장에서 상당한 경쟁력을 갖고 있어 경쟁사의 진입에 영향이 크지 않음을 의미합니다.

⊙ 재무활동현금흐름

현금흐름	2013	2014	2015	2016	2017	2018	2019	2020	2021	2022
재무활동현금흐름	-8,046	-13,205	-10,760	-12,086	-13,597	-15,108	-16,773	-18,344	-22,902	-38,069
배당금지급	8,022	8,383	10,579	12,086	13,597	15,108	16,658	18,215	22,769	-37,947
차입금 차입(상환)		4,821	181							

 - 리노공업의 재무활동현금흐름은 배당금 지급에 따른 현금 유출 뿐입니다. 마땅히 차입금도 없고 자사주 매입, 처분활동도 없기에 재무활동에 따른 현금은 배당지급 뿐입니다.

구분	2013	2014	2015	2016	2017	2018	2019	2020	2021	2022
주주환원율	17.1%									
당기순이익	26,181	30,867	32,632	35,396	40,362	48,642	52,790	55,379	103,806	114,363
배당금 지급	8,022	8,383	10,579	12,086	13,597	15,108	16,658	18,215	22,769	-37,947
자사주 매입		4,821	181							

 - 10년 누계 당기순이익 대비 자사주매입액+배당지급액의 비율인 주주환원율은 17.1%로 낮은 편입니다. 매년 당기순이익이 증가하고 현금을 쌓여가고 있는데 주주에게 환원되는 금액은 낮아 매우 아쉬운 부분입니다.

[실전 재무제표 10개년 분석] 2. 디씨엠 by 현명한 직장인

▶ 사업 개요

 - 당사는 1972년 3월 4일 설립되어 1999년 8월에 한국거래소가 개설하는 유가증권시장에 상장한 상장법인으로서 당사의 주요 사업은 칼라코팅강판과 산업용 필름의 제조 및 판매를 주 영업목적으로 하고 있으며, 대한민국의 경상남도 양산시 덕계동에 본사를 두고 있습니다.

 - LAMINATE 강판은 전기아연도금강판, 용융아연도금강판, 냉연강판 등을 소재로 하여 표면에 각종 FILM을 LAMI한 제품입니다. 본 제품은 주로 냉장고, 세탁기, 에어컨, 김치냉장고등 가전제품의 외장(Case)으로 사용하기 위해서 개발되었습니다. 본 제품은 일반 도장강판에 비하여 미려한 외관특성과 뛰어난 가공성으로 선박내장패널재, 건축내외장재, 가구재, 주방 싱크재등 산업제반분야에서도 고급소재로 널리 사용되고 있습니다.

⊙ 주요 제품

DLMH Series

· PET+PVC 혹은 PP Film을 적용한 Laminated 강판

■ Application

· 가전용 (냉장고, 세탁기, 건조기)

■ Product Layer

DLMD Series

· PET Film을 적용한 친환경 Laminated 강판

■ Application

· 가전용 (냉장고, 세탁기, 건조기), 기타 (화이트보드)

■ Product Layer

· 고객 요청 및 제품 가공 특성에 맞게 PVC 또는 PP Film Layer를 추가할 수 있음
· Top Hard Coating 및 항균 처리도 가능함

DLMW Series

· Emboss된 PVC 혹은 PP Film을 적용한 Laminated 강판

■ Application

· 선박 및 건축 내장용

■ Product Layer

DLME Series

· Emboss된 PVC Film을 적용한 Laminated 강판

■ Application
· 냉동 판넬용

■ Product Layer

  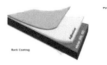

DLMT Series

· 고내후성 불소 Film을 적용한 Laminated 강판

■ Application
· 건축 외장용

■ Product Layer

▶ 주요 연혁

1972. 3.	회사설립 '대림화학공업사 '(부산시 동래구 사직동 139-10번지)
	폴리백 생산개시
1973. 9.	단추 생산개시
1973. 11.	신골(PE SHOE LAST) 생산개시
1992. 3.	LAMINATED 칼라강판 생산개시

1995. 3.	공장증축 및 LAMINATED 칼라강판 생산 LINE 증설
1995. 3.	3LAYER FILM 생산LINE 신설
1999. 5.	'디씨엠 주식회사'로 상호변경
2009. 7.	3공장 증, 개축(양산시 덕계동 89-12)
2012. 6.	2공장 증축 (양산시 덕계동 89-19)
2013. 4.	LAMINATED 칼라강판 생산라인(V3) 증설
2018. 2.	B5 FILM 생산라인 증설
2021. 12.	수출 1억불 탑·금탑산업훈장 수상

▶ 주요 주주 현황

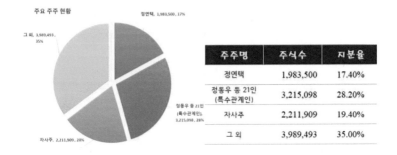

주주명	주식수	지분율
정연택	1,983,500	17.40%
정동우 등 21인 (특수관계인)	3,215,098	28.20%
자사주	2,211,909	19.40%
그 외	3,989,493	35.00%

재무제표 분석

♣ 손익계산서(2013 ~ 2022) (연결기준)

구분	2013	2014	2015	2016	2017	2018	2019	2020	2021	2022
매출액	126,620	112,217	103,083	122,788	127,349	115,168	145,326	165,376	250,829	240,604
매출액증감		▼11.38%	▼8.14%	▲19.12%	▲3.71%	▼9.56%	▲26.19%	▲13.80%	▲51.67%	▼4.08%
매출원가	117,269	106,758	91,018	100,654	107,872	99,859	120,478	142,651	205,966	205,381
매출원가증감		▼8.96%	▼14.74%	▲10.59%	▲7.17%	▼7.43%	▲20.65%	▲18.40%	▲44.38%	▼0.28%
매출원가율	92.6%	95.1%	88.3%	82.0%	84.7%	86.7%	82.9%	86.3%	82.1%	85.4%
매출총이익	9,351	5,459	12,065	22,134	19,477	15,309	24,848	22,725	44,863	35,223
판매관리비	7,769	5,974	5,674	6,159	5,822	7,744	7,316	8,012	9,975	10,722
판매관리비증감		▼23.10%	▼5.03%	▲8.58%	▼5.47%	▲33.00%	▼5.53%	▲9.52%	▲24.50%	▲7.49%
관리비율	6.1%	5.3%	5.5%	5.0%	4.6%	6.7%	5.0%	4.8%	4.0%	4.5%
영업이익	1,581	-516	6,391	15,975	13,655	7,566	17,532	14,713	34,888	24,501
영업이익증감		▼132.62%	▲1338.96%	▲149.95%	▼14.52%	▼44.60%	▲131.74%	▼16.08%	▲137.13%	▼29.77%
영업이익률	1.2%	-0.5%	6.2%	13.0%	10.7%	6.6%	12.1%	8.9%	13.9%	10.2%

구분	2013	2014	2015	2016	2017	2018	2019	2020	2021	2022
금융손익	2,107	1,257	1,752	1,689	-78	2,030	2,260	984	3,044	3,061
기타손익	612	169	-2,709	4,131	1,087	-2,375	4,965	6,196	21,488	11,943
지분법손익				0	0	3,127	3,770	6,149	4,908	
당기순이익	3,348	667	4,493	16,453	12,349	6,190	23,462	19,962	50,755	37,642
당기순이익증감		▼80.09%	▲573.85%	▲266.22%	▼24.94%	▼49.88%	▲279.03%	▼14.92%	▲154.26%	▼25.83%
당기순이익률	2.6%	0.6%	4.4%	13.4%	9.7%	5.4%	16.1%	12.1%	20.2%	15.6%
기본주당순이익	333	67	453	1,695	1,300	663	2,520	2,166	5,524	4,097

		1년평균
매출액증가율	▼4.08%	
매출원가증가율	▼0.28%	매출원가율 85.4%
영업이익증가율	▼29.77%	영업이익률 10.2%
당기순이익증가율	▼25.83%	당기순이익률 15.6%

		5년평균
매출액증가율	▲15.60%	
매출원가증가율	▲15.14%	매출원가율 84.7%
영업이익증가율	▲35.68%	영업이익률 10.3%
당기순이익증가율	▲68.53%	당기순이익률 13.9%

		10년평균
매출액증가율	▲9.04%	
매출원가증가율	▲7.76%	매출원가율 86.6%
영업이익증가율	▲168.91%	영업이익률 8.2%
당기순이익증가율	▲119.74%	당기순이익률 10.0%

☞ 10년 평균 매출원가율은 86.6%이며 최근 5년, 1년의 매출원가율과 큰 차이는 없습니다.

- 10년 평균 매출액의 증가율은 9%, 매출원가의 증가율은 7.7%로 오히려 매출액이 높은 수준으로 이로 인해 매출총이익과 영업이익, 당기순이익은 지난 10년간 크게 증가한 모습입니다.

⊙ 매출 분석

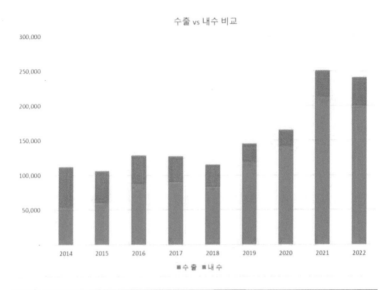

수출 vs 내수 비교

원면처리(강제)제품		2014	2015	2016	2017	2018	2019	2020	2021	2022
LAMINATED 칼라강판 (Ton)	수출	50,601	56,914	82,741	86,874	80,192	115,316	138,160	210,144	196,855
	내수	44,195	31,921	27,695	28,389	23,976	20,237	18,470	29,442	34,156
	합계	94,796	88,835	110,436	115,263	104,168	135,553	156,630	239,586	231,011
산업용 FILM(Ton)	수출	2,253	1,750	2,319	2,288	2,323	2,168	1,823	1,931	2,080
	내수	7,028	5,720	5,691	5,336	4,370	4,249	5,147	5,589	5,565
	합계	9,281	7,470	8,010	7,624	6,693	6,417	6,970	7,520	7,645
기타	수출	-	-	-	-	-	-	-	-	-
	내수	8,139	6,778	4,341	4,462	4,307	3,356	1,776	3,723	1,948
	합계	8,139	6,778	4,341	4,462	4,307	3,356	1,776	3,723	1,948
합계	수출	52,854 (47%)	59,226 (56%)	86,174 (67%)	89,162 (70%)	82,515 (72%)	117,484 (81%)	139,983 (85%)	212,075 (85%)	198,935 (83%)
	내수	59,384 (53%)	46,929 (44%)	42,367 (33%)	38,187 (30%)	32,053 (28%)	27,842 (19%)	25,393 (15%)	38,754 (15%)	41,669 (17%)
	합계	112,238	106,155	128,541	127,349	115,168	145,326	165,376	250,829	240,604

☞ 매출은 주력 품목인 LAMINATED 칼라강판, 쉽게 말해 강판에 디자인을 넣은 제품이 매출의 대부분을 차지하고 있습니다.

- 그 이전까지 종속기업을 통해 다른 사업부문의 매출도 있었으나 별다른 분석의 실익이 없다 판단하여 생략하였습니다.

- 특히 인상적인 부분은 지난 10년간 매출의 비중이 내수가 아닌 수출 쪽으로 늘리면서 크게 증가한 모습으로 매우 좋은 모습으로 보입니다.

⊙ 비용, 이익률 분석

매출액, 매출원가, 판매관리비

☞ 10년 평균 매출원가율은 86.6%, 판매관리비율은 5.2%로 매출원가율이 상당히 높은 편입니다. 이를 통해 비용의 대부분이 매출원가에 치중되어 있음을 알 수 있습니다.

⊙ 비용 분석

성격별 분류	2013	2014	2015	2016	2017	2018	2019	2020	2021	2022
재고자산의 변동	546 (%)	1,223 (1%)	3,973 (4%)	-3,237 (-3%)	-3,459 (-3%)	1,720 (2%)	362 (%)	-9,569 (-6%)	-10,683 (-5%)	5,484 (3%)
원재료 및 상품매입액	99,872 (80%)	89,828 (80%)	73,239 (76%)	89,505 (84%)	97,557 (86%)	84,301 (78%)	103,791 (81%)	133,006 (88%)	191,871 (89%)	175,642 (81%)
종업원급여	8,556 (7%)	8,294 (7%)	8,107 (8%)	9,259 (9%)	9,194 (8%)	9,958 (9%)	11,343 (9%)	13,268 (9%)	16,703 (8%)	16,040 (7%)
분양원가	3,539 (3%)	2,232 (2%)	1,882 (2%)	411 (%)	200 (%)					
감가상각비	1,943 (2%)	2,117 (2%)	2,058 (2%)	2,045 (2%)	2,078 (2%)	2,208 (2%)	2,206 (2%)	2,231 (1%)	1,754 (1%)	1,497 (1%)
운반비	1,782 (1%)	1,467 (1%)	1,442 (1%)	1,719 (2%)	1,460 (1%)	1,373 (1%)	1,699 (1%)	2,090 (1%)	3,531 (2%)	3,989 (2%)
지급수수료	2,096 (2%)	2,121 (2%)	1,598 (2%)	1,665 (2%)	1,697 (1%)	1,481 (1%)	1,928 (2%)	2,023 (1%)	2,609 (1%)	2,277 (1%)
동력비	1,227 (1%)	1,562 (1%)	1,436 (1%)	1,511 (1%)	1,276 (1%)	1,233 (1%)	1,507 (1%)	1,488 (1%)	1,883 (1%)	2,433 (1%)
포장비	1,668 (1%)	1,353 (1%)	1,120 (1%)	1,528 (1%)	1,512 (1%)	1,413 (1%)	1,693 (1%)	2,101 (1%)	3,037 (1%)	2,632 (1%)
기타	3,181 (3%)	2,347 (2%)	1,707 (2%)	2,607 (2%)	1,993 (2%)	3,938 (4%)	3,267 (3%)	4,028 (3%)	5,230 (2%)	6,103 (3%)
합계	125,038	112,732	96,692	106,813	113,804	107,603	127,794	150,664	215,941	216,103

☞ 86%에 달하는 매출원가로 인해 역시 비용의 대부분은 원재료 등 재고자산과 관련된 부분입니다.

- 그 외 종업원 급여가 7~9%대를 차지하는 모습입니다.

1) 주요 원재료 등의 현황

(단위 : 백만원)

사업부문	매입유형	품 목	구체적용도	매 입 액	비 고
표면처리강재제조, 기타	국 내	COIL	제품의 원재료	119,063	
	국 내	FILM	제품의 원재료	38,841	
	국 내	RESIN	제품의 원재료	6,899	

☞ 주요 원재료 현황을 보면 COIL의 2022년 매입액이 119,063 백만원이며, 성격별 비용의 분류 분석에서 확인되는 원재료 매입액이 175,642백만원입니다. 즉 원재료 매입액의 상당 부분이 COIL 매입액임을 알 수 있습니다.

구분	2014	2015	2016	2017	2018	2019	2020	2021	2022
LAMINATED 칼라강판 판매가(평균)	201	204	189	192	186	193	189	228	255
증감률		1.2%	-7.4%	1.9%	-3.4%	4.0%	-2.3%	21.0%	11.8%
COIL (단가)	965	844	795	942	961	942	940	1,198	1,406
증감률		-12.5%	-5.8%	18.5%	2.0%	-2.0%	-0.2%	27.4%	17.4%

→ 친절하게 주요 원재료 단가와 판매 단가를 보고하고 있는데, 이를 통한 상호 비교 분석은 크게 상관관계를 보이지 않습니다.

- 즉 이를 통해 원재료 단가의 상승을 판매가 단가의 상승으로 소비자에게 성공적인 전가를 할 수 있느냐를 파악해보기 위함인데 큰 연관성은 보이진 않습니다.

판매관리비	2013	2014	2015	2016	2017	2018	2019	2020	2021	2022
급여	2,228(20%)	2,215(37%)	2,328(41%)	2,526(41%)	2,586(44%)	2,780(36%)	3,113(43%)	3,261(41%)	3,526(36%)	4,324(40%)
퇴직급여	348(5%)	385(6%)	342(6%)	267(4%)	233(4%)	250(3%)	275(4%)	327(4%)	356(4%)	417(4%)
감가상각비	221(3%)	215(4%)	214(4%)	166(3%)	112(2%)	78(1%)	75(1%)	74(1%)	130(1%)	141(1%)
복리후생비	234(3%)	211(4%)	232(4%)	252(4%)	328(6%)	514(7%)	517(7%)	773(10%)	1,236(13%)	447(4%)
여비교통비	69(1%)	64(1%)	52(1%)	67(1%)	71(1%)	88(1%)	85(1%)	69(1%)	83(1%)	88(1%)
세금과공과	305(4%)	174(3%)	202(4%)	178(3%)	148(3%)	396(5%)	250(3%)	274(3%)	316(3%)	436(4%)
운반비	1,777(24%)	1,466(25%)	1,442(25%)	1,717(28%)	1,458(25%)	1,375(18%)	1,699(23%)	2,090(26%)	2,695(28%)	3,226(30%)
지급수수료	854(11%)	833(14%)	613(11%)	582(9%)	580(10%)	431(6%)	729(10%)	701(9%)	1,154(12%)	1,001(9%)
해외시장개척비	116(2%)	92(2%)	33(1%)	71(1%)	64(1%)	105(1%)	146(2%)	41(1%)	6(0%)	229(2%)
대손상각비	138(2%)	15(0%)	-89(-1%)	60(1%)	-64(-1%)	1,336(17%)	58(1%)	73(1%)	-88(-1%)	72(1%)
합 계	7,760	5,874	5,674	6,159	5,822	7,744	7,316	8,012	9,975	10,722

☞ 판매관리비율은 5%대로 낮은 편입니다.

- 판매관리비의 대부분은 급여, 운반비, 지급수수료입니다. 기본적으로 원재료부터 최종 완제품까지 무게가 많이 나가기 때문에 운반비의 부담이 꽤 있는 듯 합니다.

⊙ 이익률 분석

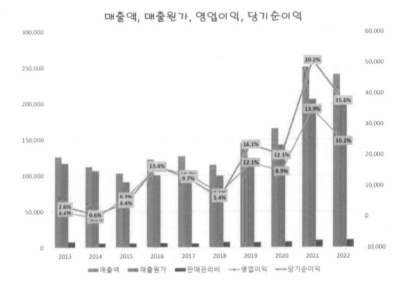

☞ 평균 영업이익률은 8.2%, 당기순이익률은 10%이며 매출원가보다 매출액의 상승폭이 커지면서 이익률은 점차 좋아지는 모습입니다.

- 영입이익과 당기순이익의 수준이 비슷하거나 오히려 당기순이익이 더 좋은 모습으로 일반적이지 않은 모습입니다. 이는 그만큼 영업이익 외에 영업외손익에서 수익이 지속적으로 발생하고 있음을 알 수 있습니다.

- 일반적인 제조업? 치고는 제법 높은 비율이 아닌가 생각됩니다.

사업부문	품 목		제 28기	제 27 기	제 26 기
철강사업부 (표면처리강재제조,기타)	COIL	국 내	965/kg	1,024/kg	1,083/kg
	PVC FILM	국 내	2,377/m	1,978/m	1,795/m
	PP. PE RESIN	국 내	2,099/kg	2,127/kg	2,175/kg
데코사업부(산업용필름의 제조 및 판매)	PET, PVC FILM	국 내	377/m	348/m	353/m

- 2013, 14년에는 특히 낮은 이익 수준과 이익률을 보이고 있는데
이는 원재료 단가와 판매단가의 차이 때문으로 보입니다. 이는 주
요 원재료 중 하나인 PVC FILM의 단가가 크게 증가하였고 이를
판매단가에 성공적으로 전가시키지 못하면서 그 손실을 당사에서
지게 된 것으로 보입니다.

⊙ 영업외수익, 비용

구분	2013	2014	2015	2016	2017	2018	2019	2020	2021	2022
매출액	126,620	112,217	103,083	122,788	127,349	115,168	145,326	165,376	250,829	240,604
매출원가	117,269	106,758	91,018	100,654	107,872	99,859	120,478	142,651	205,966	205,381
영업이익	1,581	516	6,391	15,975	13,655	7,566	17,532	14,713	34,888	24,501
금융손익	2,107	1,257	1,752	1,689	-78	2,030	2,260	984	3,044	3,061
기타손익	612	169	-2,709	4,131	1,087	-2,375	4,965	6,196	21,488	11,943
지분법손익					0	0	3,127	3,770	6,149	4,908
당기순이익	3,348	667	4,493	16,453	12,349	6,190	23,462	19,962	50,755	37,642
당기순이익증감		▼80.09%	▲573.89%	▲266.22%	▼24.94%	▼49.88%	▲279.03%	▼14.92%	▲154.26%	▼25.83%
당기순이익률	2.6%	0.6%	4.4%	13.4%	9.7%	5.4%	16.1%	12.1%	20.2%	15.6%
지분총당순이익	333	67	453	1,695	1,300	663	2,520	2,166	5,524	4,097

☞ 영업외손익에서는 금융손익과 기타손익이 꾸준히 (+)임을 알
수 있고, 2019년부터 지분법손익도 이익을 기록하고 있습니다.

⊙ 금융손익

금 융 수 익	2013	2014	2015	2016	2017	2018	2019	2020	2021	2022
이자수익	2,387	1,715	1,550	1,319	1,381	1,603	1,957	2,112	1,875	2,815
외환차익	106	105	248	207	4	95	157	292	648	1,411
외화환산이익	-	76	161	427	-	466	347	-	690	-
합 계	2,493	1,896	1,959	1,953	1,385	2,164	2,461	2,404	3,213	4,226

금 융 원 가	2013	2014	2015	2016	2017	2018	2019	2020	2021	2022
이자비용	335	585	204	225	120	132	163	126	167	332
외환차손	7	54	1	39	4	2	14	116	2	79
외화환산손실	128	-	2	-	1,339	-	24	1,178	-	753
합 계	470	639	207	264	1,463	134	201	1,420	169	1,164

☞ 금융손익에서는 이자수익이 꾸준히 발생하고 있습니다.

- 차입금이 매우 적기 때문에 이자비용은 크게 발생하지 않고 이로 인해 금융손익은 꾸준히 이익을 기록하고 있습니다.

⊙ 기타손익

기 타 수 익	2013	2014	2015	2016	2017	2018	2019	2020	2021	2022
외환차익	402	366	557	830	233	576	1,117	1,019	1,766	3,803
외화환산이익	2	10	20	182		3		3	67	5
재고자산수익	8	41	116	133	1,078	824	351	204	627	1,045
당기손익·공정가치금융자산처분이익	1,218	1,876	2,162	279	1,185	451	1,600	515	1,138	578
당기손익·공정가치금융자산평가이익	758	391	304	6,093	477	180	942	6,528	18,746	10,303
유형자산처분이익				17		2		49	4	2
투자부동산처분이익			428	296	3,962			516		
종속기업처분이익							1,789			
잡이익	630	426	493	377	513	245	322	563	688	539
합 계	3,058	3,110	4,080	8,531	7,611	2,321	6,160	9,427	23,394	16,275

기 타 비 용	2013	2014	2015	2016	2017	2018	2019	2020	2021	2022
외환차손	554	372	348	933	1,144	263	576	1,750	420	1,501
외화환산손실	18	8	13		126	37	148	233	30	1,053
기타의금융상각비					58	65	-145	213	-	68
당기손익·공정가치금융자산처분손실	315	406	34	214	337	312	142	402	131	53
당기손익·공정가치금융자산평가손실	1,198	2,033	4,372	363	3,334	2,260	265	226	1,263	1,579
매도가능금융자산손상차손			1,628							
종속기업투자손상차손				2,250						
유형자산처분손실	236	1			6	105				40
잡손실	157	33	247	524	621	1,047	11	13	3	4
합계	2,523	2,941	6,789	4,400	5,645	4,163	1,195	3,230	1,906	4,332

☞ 기타손익에서는 금융자산의 평가이익이 큰 부분을 차지하고

있습니다. 현금성자산과 금융자산의 비중이 많은 만큼 투자활동이 많고 이로 인해 주식이나 채권의 평가손익이 크게 발생하고 특히 평가이익을 많이 발생시키고 있습니다.

♣ 재무상태표(2012 ~ 2021) (연결기준)

구분	2013	2014	2015	2016	2017	2018	2019	2020	2021	2022
[유동자산]	97,327	89,557	81,283	95,665	92,990	84,997	103,854	117,576	168,084	178,219
현금+금융자산	50,039	53,961	52,667	54,797	56,326	52,437	66,591	68,856	94,994	120,774
매출채권및미수금등	16,314	12,170	12,697	18,534	14,711	12,061	17,414	17,826	31,714	22,353
재고자산	29,439	23,024	14,754	17,877	20,558	18,838	17,596	27,165	37,872	32,389
기타비금융자산(선급금등)	1,222	401	1,166	1,361	1,395	1,661	2,254	3,730	3,504	2,704
[비유동자산]	53,105	56,990	70,511	69,016	75,008	82,947	103,118	110,357	118,811	128,737
유형자산	24,207	22,931	21,439	21,050	22,015	20,222	18,535	17,249	19,052	25,586
투자부동산	21,314	23,779	32,252	34,530	38,517	47,081	52,052	52,184	55,477	59,024
무형자산	100	100	100	100	100	100	100	100	100	100
관계기업투자							11,068	14,528	20,217	24,174
평가예여금 및 보증금	319	305	3,768	413	5,213	4,828	4,954	5,543	5,458	4,596
[자산총계]	150,432	146,546	151,794	164,681	167,998	167,943	206,973	227,933	286,896	306,956

구분	2013	2014	2015	2016	2017	2018	2019	2020	2021	2022
[유동부채]	16,939	15,404	19,583	19,320	18,677	18,216	26,683	32,930	40,913	30,402
매입채무,미지급금등	12,158	9,845	13,022	12,543	12,789	13,594	17,585	24,488	25,674	19,508
유동차입부채	4,483	5,000	4,000	3,000	3,000	3,588	5,000	6,000	6,000	7,000
당기법인세부채		7	2,144	2,470	2,577	693	3,768	1,723	8,012	2,763
선수금등	298	386	226	1,084	149	302	330	718	993	958
단기충당부채		165	190	159	161				234	174
[비유동부채]	4,499	4,685	2,640	4,526	2,879	2,156	5,571	6,008	10,434	11,193
장기차입금	0	0	0	0	0	0	0	0	0	0
보증금	2,850	3,184	1,580	3,134	2,676	1,649	2,382	1,987	1,511	2,627
이연법인세부채	597	627	0	1,214	144	0	2,288	3,797	8,848	8,488
[부채총계]	21,438	20,089	22,222	23,846	21,555	20,372	32,254	38,938	51,347	41,595
[자본총계]	128,994	126,458	129,572	140,835	146,443	147,572	174,719	188,996	235,548	265,361
부채비율	16.6%	15.9%	17.2%	16.9%	14.7%	13.8%	18.5%	20.6%	21.8%	15.7%
유동비율	575%	581%	415%	495%	498%	467%	389%	357%	411%	586%

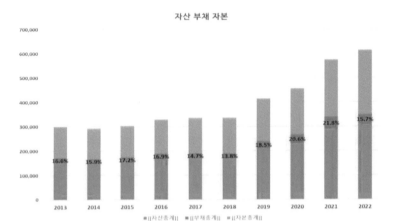

자산 부채 자본

☞ 지난 10년 평균 부채비율은 17.2%로 매우 낮은 수준으로 재무상태는 매우 좋은 편입니다.

- 자산 분석 -

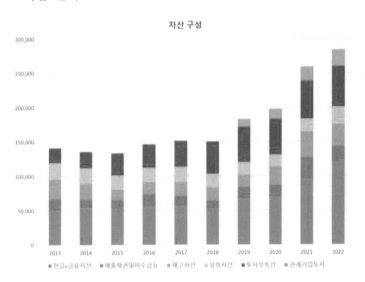

자산 구성

구분	2013	2014	2015	2016	2017	2018	2019	2020	2021	2022
[유동자산]	97,327	89,557	81,283	95,665	92,990	84,997	103,854	117,576	168,084	178,219
현금+금융자산	50,039	53,961	52,667	54,797	56,326	52,437	66,591	68,856	94,994	120,774
매출채권및미수금등	16,314	12,170	12,697	18,534	14,711	12,061	17,414	17,826	31,714	22,353
재고자산	29,439	23,024	14,754	17,877	20,558	18,838	17,596	27,165	37,872	32,389
기타비금융자산 (선급금등)	1,222	401	1,166	1,361	1,395	1,661	2,254	3,730	3,504	2,704
[비유동자산]	53,105	56,990	70,511	69,016	75,008	82,947	103,118	110,357	118,811	128,737
유형자산	24,207	22,931	21,439	21,050	22,015	20,222	18,535	17,249	19,052	25,586
투자부동산	21,314	23,779	32,252	34,530	38,517	47,081	52,052	52,184	55,477	59,024
무형자산	100	100	100	100	100	100	100	100	100	100
관계기업투자							11,068	14,528	20,217	24,174
장기예적금 및 보증금	319	305	3,768	413	5,213	4,828	4,954	5,543	5,458	4,596
[자산총계]	150,432	146,546	151,794	164,681	167,998	167,943	206,973	227,933	286,896	306,956

☞ 자산에서는 현금이나 금융자산이 높은 비중을 차지하고 있습니다. 그리고 투자부동산과 유형자산, 매출채권, 재고자산 등이 있습니다. 자산의 현황은 매우 좋은 편입니다.

◉ 현금 + 금융자산

현금및현금성자산	31,976,812,647	27,022,939,189	25,375,707,232
단기금융상품	14,798,362,592	10,410,631,870	13,292,771,468
유동 당기손익-공정가치금융자산	72,712,652,745	57,560,689,832	29,727,200,516

2022, 2021, 2020년 자산 현황

☞ 2022년 기준 현금이 319억원, 금융상품이 147억원, 유동 금융자산이 727억원으로 자산의 많은 비중을 차지하고 있습니다.

9. 당기손익-공정가치금융자산 :

당기말 및 전기말 현재 당기손익-공정가치금융자산의 내역은 다음과 같습니다.

(단위: 백만원)

구 분	당 기 말	전 기 말
유동항목		
상장주식	52,048	42,375
수익증권	20,665	14,294
기타	-	892
소 계	72,713	57,561
비유동항목		
수익증권	7,263	6,300
파생결합증권	-	1,997
주가연계증권	501	907
신종자본증권	-	4,919
채무상품	3,796	-
소 계	11,560	14,123
합 계	84,273	71,684

☞ 유동 금융자산 727억원 중 520억원은 상장주식, 206억원은 수익증권입니다.

 - 이렇게 금융자산의 금액이 크기에 이에 따른 평가손익, 처분손익 등 영업외이익(기타이익)이 높아지고, 결과적으로 영업이익보다 당기순이익이 높은 모습도 많이 보여주게 됩니다.

⊙ 유형자산 & 투자부동산

15. 유형자산 :

(1) 당기말 및 전기말 현재 유형자산 장부금액의 구성내역은 다음과 같습니다.

(단위: 백만원)

구 분	당 기 말			전 기 말		
	취득원가	감가상각 누계액(*)	장부금액	취득원가	감가상각 누계액(*)	장부금액
토지	16,643	–	16,643	6,596	–	6,596
건물	10,790	(4,548)	6,242	10,920	(4,323)	6,597
구축물	460	(278)	182	460	(255)	205
기계장치	16,443	(14,648)	1,795	16,518	(14,250)	2,268
차량운반구	1,047	(709)	338	877	(631)	246
공구와기구	265	(256)	9	271	(248)	23
집기비품	827	(710)	117	834	(738)	96
건설중인자산	260	–	260	3,021	–	3,021
합 계	46,735	(21,149)	25,586	39,497	(20,445)	19,052

☞ 유형자산은 토지가 대부분을 차지하고 있습니다. 일반적인 제조업처럼 기계장치나 건물의 비중이 높은 모습과는 정반대의 모습입니다.

– 한편 당사는 유형자산보다 투자부동산의 금액이 오히려 더 높은 편입니다.

(1) 당기말 및 전기말 현재 투자부동산의 내역은 다음과 같습니다.

(단위: 백만원)

구 분	당 기 말			전 기 말		
	취득원가	감가상각 누계액	장부금액	취득원가	감가상각 누계액	장부금액
토지	42,138	-	42,138	42,014	-	42,014
건물	16,978	(3,955)	13,023	16,978	(3,545)	13,433
건설중인자산	3,863	-	3,863	30	-	30
합 계	62,979	(3,955)	59,024	59,022	(3,545)	55,477

(5) 당기말 및 전기말 현재 투자부동산의 공정가치는 다음과 같습니다.

(단위: 백만원)

구 분	당 기 말	전 기 말
토지	58,963	54,311
건물	19,067	34,866
합 계	78,030	89,177

(6) 투자부동산에서 발생한 임대수익은 2,680백만원(전기: 1,888백만원)이며, 임대수익이 발생한 투자부동산과 직접 관련된 운영비용은 1,403백만원(전기: 625백만원)입니다.

☞ 투자부동산도 역시 토지가 많은 비중을 차지하고 있으며, 취득원가 421억원보다 공정가치 589억원으로 더 높아 시세차익을 보고 있는 모습입니다.

- 이러한 투자부동산을 통해 임대수익 또한 발생시키고 있습니다.

⊙ 매출채권 분석

매출채권 회전분석

구분	2014	2015	2016	2017	2018	2019	2020	2021	2022
매출채권	12,170	12,697	18,534	14,711	12,061	17,414	17,826	31,714	22,353
매출채권/매출액	14.5%	24.9%	18.0%	16.9%	15.1%	14.3%	17.0%	16.8%	17.1%
평균매출채권	14,242	12,434	15,616	16,623	13,386	14,738	17,620	24,770	27,033
매출채권회전율	7.9	8.3	7.9	7.7	8.6	9.9	9.4	10.1	8.9
매출채권회전기간	46.3	44.0	46.4	47.6	42.4	37.0	38.9	36.0	41.0

☞ 매출채권의 평균 회전기간은 42일입니다. 이는 외상으로 매출해준 뒤 현금으로 회수하는 데까지 걸리는 기간이 42일이라는 의미로 매우 빠른 수준입니다.

(1) 최근 3사업연도의 계정과목별 대손충당금 설정내역

(단위 : 백만원, %)

구 분	계정과목	채권 총액	대손충당금	대손충당금설정률
제36기 (2022년도)	매출채권	22,199	345	1.55%
	미 수 금	337	13	3.86%
	합 계	22,536	358	1.59%
제35기 (2021년도)	매출채권	31,476	287	0.91%
	미 수 금	431	–	0.00%
	합 계	31,907	287	0.90%
제34기 (2020년도)	매출채권	17,752	375	2.12%
	미 수 금	428	60	14.02%
	합 계	18,180	435	2.40%

(2) 최근 3사업연도의 대손충당금 변동현황

(단위 : 백만원)

구 분	제36기 (2022년도)	제35기 (2021년도)	제34기 (2020년도)
1. 기초 대손충당금 잔액합계	287	435	386
2. 순대손처리액(①-②±③)			
① 대손처리액(상각채권액)			
② 상각채권회수액			
③ 기타증감액			
3. 대손상각비 계상(환입)액	58	(148)	49
4. 기말 대손충당금 잔액합계	345	287	435

☞ 최근 3년간의 대손충당금 설정률, 실제 대손처리액을 확인해보면, 설정률은 1~2%, 실제 대손처리액은 없음을 확인할 수 있습니다. 매출채권의 관리가 상당히 잘 되고 있습니다.

⊙ 재고자산과 매입채무

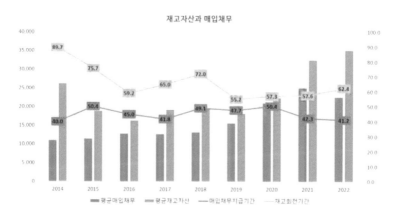

재고자산과 매입채무

구분	2014	2015	2016	2017	2018	2019	2020	2021	2022
재고자산	23,024	14,754	17,877	20,558	18,838	17,596	27,165	37,872	32,389
재고자산/총자산	15.7%	9.7%	10.9%	12.2%	11.2%	8.5%	11.9%	13.2%	10.6%
평균재고자산	26,232	18,889	16,315	19,217	19,698	18,217	22,380	32,519	35,131
재고자산회전율	4.1	4.8	6.2	5.6	5.1	6.6	6.4	6.3	5.8
재고회전기간	89.7	75.7	59.2	65.0	72.0	55.2	57.3	57.6	62.4
평균매입채무	11,001	11,434	12,783	12,666	13,191	15,589	21,037	25,081	22,591
연매입액	100,343	82,748	103,777	110,553	98,139	119,236	152,221	216,673	199,897
1일매입액	275	227	284	303	269	327	417	594	548
매입채무지급기간	40.0	50.4	45.0	41.8	49.1	47.7	50.4	42.3	41.2

☞ 재고자산의 평균 회전기간은 66일로 무난한 편입니다. 이는 원재료 등을 매입해온 뒤 최종 완제품을 만들어 매출로 이어지는 데까지 걸리는 기간이 66일이라는 뜻입니다.

- 한편 이러한 원재료 등을 매입하며 발생한 매입채무 등의 평균 지급기간은 45일로 역시 빠른 편입니다. 이는 외상으로 원재료 등을 매입한 뒤 현금으로 지급하는 데까지 걸리는 기간이 45일이라는 의미입니다.

- 부채도 낮지만, 매입채무의 수준도 상당히 낮습니다. 현금의 여유가 있어서인지 매입채무가 평균 재고보다 낮은 수준을 보이면서 매입채무를 크게 가져가지 않는 모습입니다.

⊙ 관계기업투자

(1) 당기말 및 전기말 현재 관계기업의 현황은 다음과 같습니다.

회사명	소 재	결산일	지분율(%)		비고
			당기말	전기말	
도림통산(주)	대한민국	12월 31일	48.21	48.21	
(주)마스콤	대한민국	12월 31일	45.00	45.00	

(2) 당기와 전기의 관계기업에 대한 지분법 평가 내역은 다음과 같습니다.

(단위: 백만원)

회사명	당기초	지분법 평가		배당금 수령	당기말
		당기손익	기타포괄손익		
도림통산(주)	18,391	4,341	59	(1,041)	21,750
(주)마스콤	1,826	568	30	-	2,424
합계	20,217	4,909	89	(1,041)	24,174

☞ 관계기업투자 또한 비중이 적지 않습니다. 이로 인한 지분법이익 또한 영업외손익에서 상당 부분 차지하고 있습니다.

- 이러한 관계기업에는 당사와 동일한 대표자가 운영하고 있는 플라스틱 필름, 시트 제조업체인 도림통산, 그리고 합성수지 및 플리스틱 제조업체인 (주)마스콤입니다.

- 부채 분석 -

구분	2013	2014	2015	2016	2017	2018	2019	2020	2021	2022
[유동부채]	16,939	15,404	19,583	19,320	18,677	18,216	26,683	32,930	40,913	30,402
매입채무 미지급금등	12,158	9,845	13,022	12,543	12,789	13,594	17,585	24,488	25,674	19,508
유동차입부채	4,483	5,000	4,000	3,000	3,000	3,588	5,000	6,000	6,000	7,000
당기법인세부채		7	2,144	2,470	2,577	693	3,768	1,723	8,012	2,763
선수금등	298	386	226	1,084	149	302	330	718	993	958
단기충당부채		165	190	159	161				234	174
[비유동부채]	4,499	4,685	2,640	4,526	2,879	2,156	5,571	6,008	10,434	11,193
장기차입금	0	0	0	0	0	0	0	0	0	0
부충금	2,850	3,184	1,580	3,134	2,676	1,649	2,382	1,987	1,511	2,627
이연법인세부채	597	627	0	1,214	144	0	2,288	3,797	8,848	8,485
[부채총계]	21,438	20,089	22,222	23,846	21,555	20,372	32,254	38,938	51,347	41,595
[자본총계]	128,994	126,458	129,572	140,835	146,443	147,572	174,719	188,996	235,548	265,361
부채비율	16.6%	15.9%	17.2%	16.9%	14.7%	13.8%	18.5%	20.6%	21.8%	15.7%
유동비율	575%	581%	415%	495%	498%	467%	389%	357%	411%	586%

☞ 부채는 매우 낮은 수준입니다. 부채의 대부분은 매입채무이며 차입금의 비중은 매우 낮습니다.

⊙ 장단기 차입금

(단위: 백만원)

차입처	종류	최장 만기일	연이자율(%)	금 액	
			당기말	당기말	전기말
우리은행	시설자금대출(*)			–	3,000
	운전자금대출	2023.04.27	4.87%	2,000	2,000
기업은행	시설자금대출(*)	2023.06.09	3.71%	5,000	–
	무역금융대출			–	1,000
합 계				7,000	6,000

☞ 차입금은 시중은행을 통한 단기차입금입니다.

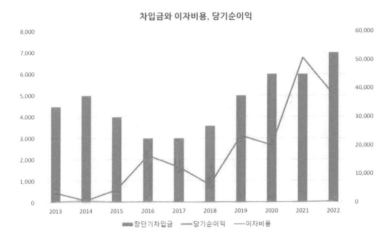

차입금과 이자비용, 당기순이익

구분	2013	2014	2015	2016	2017	2018	2019	2020	2021	2022
장단기차입금	4,483	5,000	4,000	3,000	3,000	3,588	5,000	6,000	6,000	7,000
당기순이익	3,348	667	4,493	16,453	12,349	6,190	23,462	19,962	50,755	37,642
이자비용	335	585	204	225	120	132	163	126	167	332
이자비용/당기순익	10.0%	87.7%	4.5%	1.4%	1.0%	2.1%	0.7%	0.6%	0.3%	0.9%

☞ 차입금의 비중이 낮기 때문에 이자비용의 부담도 매우 낮은 수준입니다. 2014년도에는 당기순이익이 낮게 나와 일시적으로 이자비용의 비중이 높게 나왔으나, 이를 제외하고는 대부분 낮은 수준을 보이고 있습니다.

♣ 주식, 자본 주요 변동내역(2013 ~ 2022) (연결기준)

- 지난 10년간 유상증자 등 유의미한 주식수 증가는 없으며, 자사주에 대해 2004년 300,000주, 2022년 300,000주 2차례 소각한 바 있습니다.

(단위 : 원, 주)

종류	구분	당기말	35기 (2021년말)	34기 (2020년말)
보통주	발행주식 총수	11,400,000	11,700,000	11,700,000
	액면금액	500	500	500
	자본금	6,000,000,000	6,000,000,000	6,000,000,000
우선주	발행주식 총수	-	-	-
	액면금액	-	-	-
	자본금	-	-	-
기타	발행주식 총수	-	-	-
	액면금액	-	-	-
	자본금	-	-	-
합계	자본금	6,000,000,000	6,000,000,000	6,000,000,000

* 회사는 2004년, 2022년 중 보유한 자기주식 600,000주(2004년 300,000주, 2022년 300,000주)를 이익소각함에 따라 발행주식의 액면총액과 자본금이 일치하지 않습니다.

♣ 현금흐름표(2013 ~ 2022) (연결기준)

	사업초기	과도기	안정기
영업활동	(+) 또는 간혹 (-) 당기순이익을 내느냐 못내느냐에 따라 좌우됨	(+) 사업초기를 버티고 이익을 보는 단계로 당기순이익이 (+)로 전환되기 시작하여 이에 따른 영업현금흐름도 유입(+)	(+) 당기순이익, 감가상각비 등으로 영업활동현금흐름은 꾸준히 유입(+)
투자활동	(-) 사업에 필요한 기계장비 등 유형자산을 취득하므로 투자활동현금은 꾸준히 유출(-)	(-) 아직 시장에서 안정화되지 않았기 때문에 유형자산을 꾸준히 매입하며 투자활동 현금흐름은 유출(-)	남는 현금으로 투자(주식, 채권)하거나, 노후화된 유형자산 대체를 위해 투자활동현금은 유출
재무활동	(+) 사업에 필요한 자금을 차입 또는 사채를 발행함으로써 재무활동현금은 꾸준히 유입(+)	(+)또는(-) 이자에 대한 부담 그리고 영업현금에서 여유가 생기면 차입금 상환으로 재무활동현금은 유출(-)	(-) 남는 현금으로 꾸준히 배당, 자사주를 취득하거나 차입금, 사채 등을 상환하여 재무활동현금은 유출

구분	2013	2014	2015	2016	2017	2018	2019	2020	2021	2022
영업활동현금흐름	28,681	9,464	17,920	11,687	8,414	11,672	23,399	7,233	15,807	31,527
투자활동현금흐름	-5,586	-9,641	-12,781	-4,906	-4,088	-6,569	-15,736	626	-9,574	-18,508
재무활동현금흐름	-21,882	-2,703	-2,983	-6,869	-6,737	-3,704	2,885	-4,631	-4,594	-7,515

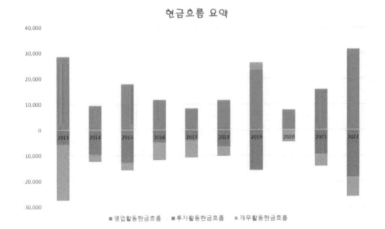

현금흐름 요약

☞ 현금흐름은 영업+ 투자- 재무- 로 일반적인 모습입니다.

⊙ 영업활동현금흐름

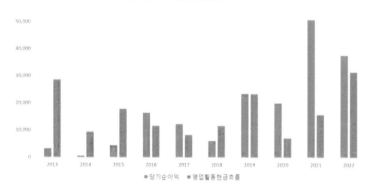

당기순이익과 영업활동현금흐름 비교

■당기순이익　■영업활동현금흐름

구분	2013	2014	2015	2016	2017	2018	2019	2020	2021	2022
당기순이익	3,348	667	4,493	16,453	12,349	6,190	23,462	19,962	50,755	37,642
감가상각 상각	1,943	2,117	2,058	2,045	2,078	2,206	2,655	2,231	1,754	1,497
금융자산 평가손익	440	1,642	5,696	-3,480	2,857	2,080	-745	-5,918	-17,483	-8,724
금융자산 처분손익	-904	-1,393	-2,424	-650	-4,908	-139	-3,863	-659	-977	-525
매출채권의감소(증가)	2,568	4,013	621	-2,532	-1,242	1,157	-5,838	-633	-13,687	8,230
재고자산의감소(증가)	548	3,568	6,300	-3,123	-2,681	1,720	666	-9,569	-10,707	4,284
매입채무의증가(감소)	-3,645	-1,307	1,919	986	-437	-279	4,348	7,256	-1,864	-4,354
비유동투자이익증가(감소)	-9,345	-522	-505	946	-118	27	561	-801	2,696	-693
이자수 유출입	2,197	1,023	1,430	1,209	1,334	1,401	1,263	1,416	1,654	2,385
배당금 유입	-8	-41	-116	-133	-1,078	-824	-351	-204	-627	-1,045
법인세납부	-2,031	102	-285	-3,311	-4,154	-3,603	-1,805	-6,222	-3,599	-12,542
영업활동현금흐름	28,681	9,464	17,920	11,687	8,414	11,672	23,399	7,233	15,807	31,527

☞ 금융자산의 비중이 컸던 만큼, 영업활동현금흐름으 금융자산과 관련된 평가손익, 처분손익에 영향을 받는 편입니다.

– 유형자산의 비중은 낮았기에 감가상각비는 현금흐름표에 큰 영향을 주진 않습니다.

– 일반적인 기업들은 감가상각비 등의 비중이 크다보니 영업활동 현금흐름이 당기순이익보다 큰 모습이 일반적이지만, 당사의 경우 금융자산의 평가손익, 처분손익은 예측이 어려운 데 해당 부분이 영업현금에 미치는 영향이 크다보니 영업활동현금흐름의 방향도

예측하기가 어렵습니다.

◉ 투자활동현금흐름

구분	2013	2014	2015	2016	2017	2018	2019	2020	2021	2022
투자활동현금흐름	-5,586	-9,641	-12,781	-4,906	-4,088	-6,569	-15,736	626	-9,574	-18,508
토지등유부형자산 매입	-1,239	-465	-221	-1,299	-2,737	-174	-8,121	-744	-3,177	-7,661
점별.영업양수도현금 유입										
장단기투자자산 지분(매입)	-4,447	-9,180	-12,560	-3,626	-7,323	-6,410	-6,706	1,166	-6,400	-10,849
자본적지출비율	-14.7%	장기율액누계		175,321	CAPEX누계		-25,839			

☞ 투자활동현금흐름은 대부분 장단기 금융투자자산의 매입에 따른 현금 유출입니다.

- 많은 현금 보유액, 무난한 이익률을 바탕으로 벌어들이는 현금을 금융자산 매입 등 투자활동에 사용하고 있는 모습입니다.

- 의외로 capa투자에 대한 비중은 크지 않습니다. 지난 10년 누계 자본적 지출비율은 14.7%로 매우 낮은 수준입니다.

◉ 재무활동현금흐름

구분	2013	2014	2015	2016	2017	2018	2019	2020	2021	2022
재무활동현금흐름	-21,882	-2,703	-2,983	-6,869	-6,737	-3,704	2,885	-4,631	-4,594	-7,515
배당금지급	-5,819	-2,005	-1,983	-1,983	-3,824	-4,292	-2,395	-4,642	-4,594	-8,269
자기주식 취득	-332	-1,216		-3,886	-2,913		-532	-989		
차입금차입(상환)	-15,731	517	-1,000	-1,000	0	588	5,812	1,000	0	755

☞ 재무활동현금흐름은 주로 배당금 지급과 자사주 취득활동에 따른 현금 유출입니다.

- 앞서 주주 현황에서 확인했다시피 당사는 자사주의 비중이 제법 높은 편입니다. 2022년에는 자사주를 일부 소각한 바 있습니다.

구분	2013	2014	2015	2016	2017	2018	2019	2020	2021	2022
주주환원율	28.3%									
당기순이익	3,348	667	4,493	16,453	12,349	6,190	23,462	19,962	50,755	37,642
배당금지급	-5,819	-2,005	-1,983	-1,983	-3,824	-4,292	-2,395	-4,642	-4,594	-8,269
자기주식취득	-332	-1,216	0	-3,886	-2,913	0	-532	-989	0	0

☞ 10년 누계 주주환원율은 28%로 높은 이익률, 현금 보유비율
등을 고려하면 주주에 대한 환원율은 매우 낮은 수준입니다.

[실전 재무제표 10개년 분석] 3. APPLE Inc by 현명한 직장인

Apple Inc.(애플 Inc.)는 캘리포니아주 쿠퍼티노에 본사를 둔 다국적 기술 기업으로, 다양한 가전제품, 컴퓨터 소프트웨어 및 온라인 서비스를 설계, 개발 및 판매합니다. 이 회사는 다음과 같은 다양한 부문에서 운영됩니다

- 아이폰: 애플의 대표적인 스마트폰 제품인 아이폰과 관련 액세서리 및 서비스의 판매가 이 부문에 포함됩니다.

- iPad: 이 부문에는 애플의 태블릿 컴퓨터 제품인 iPad와 관련 액세서리 및 서비스의 판매가 포함됩니다.

- Mac: 이 부문에는 Apple의 데스크톱 및 랩톱 컴퓨터 제품과 관련 액세서리 및 서비스의 판매가 포함됩니다.

- 웨어러블, 가정용 및 액세서리: 이 세그먼트에는 Apple Watch, 에어팟, 홈팟 및 기타 액세서리와 같은 다양한 제품의 판매가 포함됩니다.

- 서비스: 이 세그먼트는 앱 스토어, 애플 뮤직, 애플 TV+, 아이

클라우드, 기타 서비스와 같은 다양한 온라인 서비스의 판매를 포함한다.

※ 애플은 자체 생산기지가 없습니다. 프로세서는 인텔, TSMC, 삼성 같은 회사에서, 디스플레이는 LG디스플레이나 삼성디스플레이에서, 배터리는 LG화학이나 삼성SDI 에서 메모리는 삼성전자나 SK하이닉스 또는 마이크론 같은 곳에서 조달하고 있습니다. 그 외 제조 및 공급망 운영 측면에서 주로 아시아에 위치한 계약 제조업체와 공급업체의 네트워크에 의존합니다. 그 외 애플의 제조 파트너로는 폭스콘, 페가트론, 위스트론 등이 있습니다.

▶ 주요 연혁
- 1976: 애플 컴퓨터 주식회사는 스티브 잡스, 스티브 워즈니악, 그리고 로널드 웨인에 의해 설립
- 1984: 그래픽 사용자 인터페이스를 갖춘 최초의 상업적으로 성공한 개인용 컴퓨터 매킨토시 출시
- 1991년: 노트북 디자인의 표준을 세운 새로운 휴대용 컴퓨터 제품인 파워북 출시
- 1997년: 스티브 잡스는 12년 만에 CEO로 애플에 복귀. 회사의 극적인 성장과 혁신의 시기를 시작
- 2001년: 음악 산업에 혁명을 일으키는 휴대용 디지털 음악 플레이어인 iPod를 소개
- 2007년: 전화, 음악 플레이어, 인터넷 브라우저를 결합한 새로운

종류의 모바일 기기인 아이폰을 출시

- 2010년: 널리 인기를 얻고 태블릿 시장의 표준을 설정하는 새로운 태블릿 컴퓨터인 iPad를 소개
- 2011년: 스티브 잡스가 세상을 떠났고, 팀 쿡이 CEO 자리를 물려받음
- 2014년: Apple은 수년 만에 처음으로 신제품 카테고리인 Apple Watch를 선보임
- 2016년: 창립 40주년을 기념하고, 카메라 기술과 다른 분야에서 상당한 개선을 특징으로 하는 아이폰 7과 아이폰 7 플러스를 소개
- 2018년: 세계 최초로 시가총액 1조 달러에 도달한 상장 기업
- 2020: 맥 컴퓨터를 인텔의 프로세서가 아닌 애플이 설계한 자체 프로세서를 사용하도록 전환할 계획이라고 발표
- 2021: 아이폰 13, 애플 워치 시리즈 7, 운영 체제의 새로운 버전을 포함한 다양한 신제품과 서비스를 출시한다.

재무제표 분석

♣ 손익계산서(2012 ~ 2021) (연결기준)

구분	2013	2014	2015	2016	2017	2018	2019	2020	2021	2022
매출액	170,910	182,795	233,715	215,639	229,234	265,595	260,174	274,515	365,817	394,328
매출액증감		▲6.95%	▲27.86%	▼7.73%	▲6.30%	▲15.86%	▼2.04%	▲5.51%	▲33.20%	▲7.79%
매출원가	106,606	112,258	140,089	131,376	141,048	163,756	161,782	169,559	212,981	223,546
매출원가증감		▲5.30%	▲24.79%	▼6.22%	▲7.36%	▲16.10%	▼1.21%	▲4.81%	▲25.61%	▲4.96%
매출원가율	62.4%	61.4%	59.9%	60.9%	61.5%	61.7%	62.2%	61.8%	58.2%	56.7%
매출총이익	64,304	70,537	93,626	84,263	88,186	101,839	98,392	104,956	152,836	170,782
판매관리비	10,830	11,993	14,329	14,194	15,261	16,705	18,245	19,916	21,973	25,094
판매관리비증감		▲10.74%	▲19.48%	▼0.94%	▲7.52%	▲9.46%	▲9.22%	▲9.16%	▲10.33%	▲14.20%
관리비율	6.3%	6.6%	6.1%	6.6%	6.7%	6.3%	7.0%	7.3%	6.0%	6.4%
연구개발비	4,475	6,041	8,067	10,045	11,581	14,236	16,217	18,752	21,914	26,251
연구개발비증감		▲34.99%	▲33.54%	▲24.52%	▲15.29%	▲22.93%	▲13.92%	▲15.63%	▲16.86%	▲19.79%
연구개발비율	2.6%	3.3%	3.5%	4.7%	5.1%	5.4%	6.2%	6.8%	6.0%	6.7%

구분	2013	2014	2015	2016	2017	2018	2019	2020	2021	2022
영업이익	48,999	52,503	71,230	60,024	61,344	70,898	63,930	66,288	108,949	119,437
영업이익증감		▲7.15%	▲35.67%	▼15.73%	▲2.20%	▲15.57%	▼9.83%	▲3.69%	▲64.36%	▲9.63%
영업이익률	28.7%	28.7%	30.5%	27.8%	26.8%	26.7%	24.6%	24.1%	29.8%	30.3%
영업외손익	1,156	980	1,285	1,348	2,745	2,005	1,807	803	258	-334
당기순이익	37,037	39,510	53,394	45,687	48,351	59,531	55,256	57,411	94,680	99,803
당기순이익증감		▲6.68%	▲35.14%	▼14.43%	▲5.83%	▲23.12%	▼7.18%	▲6.90%	▲64.92%	▲5.41%
당기순이익률	21.7%	21.6%	22.8%	21.2%	21.1%	22.4%	21.2%	20.9%	25.9%	25.3%
회세후당순이익	1.42	1.61	2.31	2.08	2.30	2.08	2.97	3.28	5.61	6.11

1년평균

매출액증가율	▲7.79%	매출원가율	56.7%
매출원가증가율	▲4.96%	영업이익률	30.3%
영업이익증가율	▲9.63%	당기순이익률	25.3%
당기순이익증가율	▲5.41%		

5년평균

매출액증가율	▲12.08%	매출원가율	60.1%
매출원가증가율	▲10.05%	영업이익률	27.1%
영업이익증가율	▲16.68%	당기순이익률	23.2%
당기순이익증가율	▲18.04%		

10년평균

매출액증가율	▲10.42%	매출원가율	60.7%
매출원가증가율	▲9.06%	영업이익률	27.8%
영업이익증가율	▲12.52%	당기순이익률	22.4%
당기순이익증가율	▲13.71%		

☞ 10년 평균 매출원가율은 60.7%로 낮은 편입니다. 최근 들어서는 원가율도 더 낮아지는 모습입니다.

- 10년 평균 매출액 증가율은 10.4%, 원가의 증가율은 9%로 오히려 매출액의 증가율이 원가의 증가율을 앞서는 모습입니다. 그

결과 매출총이익은 2013년 대비 3배 가량 증가한 모습입니다.

⊙ 매출 분석

부문별 매출액

구분	2014	2015	2016	2017	2018	2019	2020	2021	2022
아이폰	101,991 (56%)	155,041 (66%)	136,700 (63%)	139,337 (61%)	164,888 (62%)	142,381 (55%)	137,781 (50%)	191,973 (52%)	205,489 (52%)
맥	24,079 (13%)	25,471 (11%)	22,831 (11%)	25,569 (11%)	25,198 (9%)	25,740 (10%)	28,622 (10%)	35,190 (10%)	40,177 (10%)
아이패드	30,283 (17%)	23,227 (10%)	20,628 (10%)	18,802 (8%)	18,380 (7%)	21,280 (8%)	23,724 (9%)	31,862 (9%)	29,292 (7%)
웨어러블 및 액세서리	8,379 (5%)	10,067 (4%)	11,132 (5%)	12,826 (6%)	17,381 (7%)	24,482 (9%)	30,620 (11%)	38,367 (10%)	41,241 (10%)
서비스	18,063 (10%)	19,909 (9%)	24,348 (11%)	32,700 (14%)	39,748 (15%)	46,291 (18%)	53,768 (20%)	68,425 (19%)	78,129 (20%)
총 매출액	182,795	233,715	215,639	229,234	265,595	260,174	274,515	365,817	394,328

☞ 애플의 주요 매출은 역시 아이폰으로부터 발생하고 있습니다.

- 애플 입장에서 이상적인 모습은 총 매출액이 증가하면서 아이폰
이외 맥이나 아이패드, 웨어러블 등에서도 꾸준히 증가하여 사업

부문별 헷지를 하는 모습이 좋을 것입니다.

- 그런 면에서 아직 애플은 아이폰에 매출이 집중되는 모습을 보이는 부분이 유일하게 아쉬운 점이 아닐까 생각됩니다.

- 아이패드는 오히려 10년 전 대비 매출액이 감소한 모습입니다.
- 한편 맥과 특히 웨어러블 및 액세서리에서는 매출액 성장이 제법 보이는 모습입니다.

※ 서비스 매출 : 광고수익, Applecare , 클라우드, 디지털 콘텐츠, 결제 및 기타 서비스 매출이 포함됨.

- 희석주당순이익의 경우 10년 전 대비 4배 이상 증가한 강력한 모습을 보이고 있습니다.

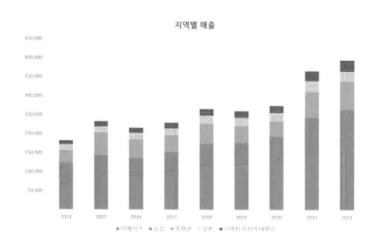

구분	2014	2015	2016	2017	2018	2019	2020	2021	2022
아메리카	80,095 (44%)	93,864 (40%)	86,613 (40%)	96,600 (42%)	112,093 (42%)	116,914 (45%)	124,556 (45%)	153,306 (42%)	169,658 (43%)
유럽	44,285 (24%)	50,337 (22%)	49,952 (23%)	54,938 (24%)	62,420 (24%)	60,288 (23%)	68,640 (25%)	89,307 (24%)	95,118 (24%)
중화권	31,853 (17%)	58,715 (25%)	48,492 (22%)	44,764 (20%)	51,942 (20%)	43,678 (17%)	40,308 (15%)	68,366 (19%)	74,200 (19%)
일본	15,314 (8%)	15,706 (7%)	16,928 (8%)	17,733 (8%)	21,733 (8%)	21,506 (8%)	21,418 (8%)	28,482 (8%)	25,977 (7%)
나머지 아시아 태평양	11,248 (6%)	15,093 (6%)	13,654 (6%)	15,199 (7%)	17,407 (7%)	17,788 (7%)	19,593 (7%)	26,356 (7%)	29,375 (7%)
총 매출액	182,795	233,715	215,639	229,234	265,595	260,174	274,515	365,817	394,328

☞ 지역별로는 지난 10년간 매출 비중이 크게 변동이 없는 모습입니다.

- 아메리카가 40%이상으로 가장 많고, 그 외 유럽이나 중화권, 아시아 쪽에서 발생하는 모습입니다.

⊙ 비용, 이익률 분석

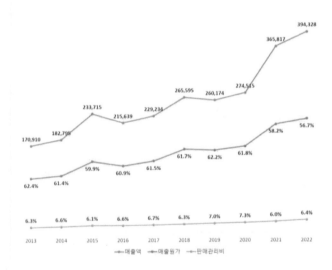

매출액, 매출원가, 판매관리비

☞ 10년 평균 원가율은 60%, 판매관리비율은 6.5%이며, 연구관리비율은 5.0%입니다.

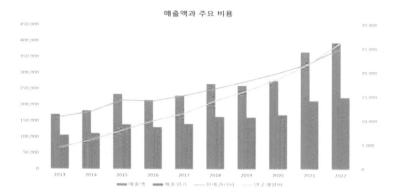

매출액과 주요 비용

구분	2013	2014	2015	2016	2017	2018	2019	2020	2021	2022
매출액	170,910	182,795	233,715	215,639	229,234	265,595	260,174	274,515	365,817	394,328
매출원가	106,606	112,258	140,089	131,376	141,048	163,756	161,782	169,559	212,981	223,546
판매관리비	10,830	11,993	14,329	14,194	15,261	16,705	18,245	19,916	21,973	25,094
판매관리비증감		▲10.74%	▲19.48%	▼0.94%	▲7.52%	▲9.46%	▲9.22%	▲9.16%	▲10.33%	▲14.20%
판관비율	6.3%	6.6%	6.1%	6.6%	6.7%	6.3%	7.0%	7.3%	6.0%	6.4%
연구개발비	4,475	6,041	8,067	10,045	11,581	14,236	16,217	18,752	21,914	26,251
연구개발비증감		▲34.99%	▲33.54%	▲24.52%	▲15.29%	▲22.93%	▲13.92%	▲15.63%	▲16.86%	▲19.79%
연구개발비율	2.6%	3.3%	3.5%	4.7%	5.1%	5.4%	6.2%	6.8%	6.0%	6.7%

☞ 특히 비용에서는 연구개발비의 증가가 눈에 띕니다. 직접 제조를 하지 않기 때문에 capa투자가 크게 들어갈 일이 없고 아이폰이나 노트북 등 신제품을 만들기 위한 연구개발비가 크게 증가하고 있는 모습입니다.

⊙ 이익률 분석

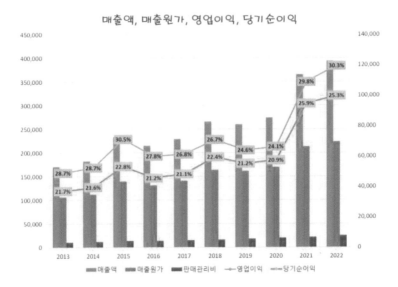

☞ 10년 평균 영업이익률은 27.8%, 당기순이익률은 22.4%로 강력한 모습이며 이 비율은 10년간 크게 변동이 없는 모습입니다. 굉장한 이익률입니다.

구분	2013	2014	2015	2016	2017	2018	2019	2020	2021	2022
매출액	170,910	182,795	233,715	215,639	229,234	265,595	260,174	274,515	365,817	394,328
매출액증감		▲6.95%	▲27.86%	▼7.73%	▲6.30%	▲15.86%	▼2.04%	▲5.51%	▲33.26%	▲7.79%
매출원가	106,606	112,258	140,089	131,376	141,048	163,756	161,782	169,559	212,981	223,546
매출원가증감		▲5.30%	▲24.79%	▼6.22%	▲7.36%	▲16.10%	▼1.21%	▲4.81%	▲25.61%	▲4.96%

☞ 10년 평균 매출액과 매출원가의 증가율을 비교해보아도 매출액의 증가율이 더 높은 모습입니다. 그만큼 판매단가의 소비자 전가 또는 원재료, 재공품 등을 제조하여 애플에 납품하는 밴더 업체들에 대한 가격 결정권이 상당히 강한 것으로 보입니다.

⊙ 영업외수익, 비용

기타손익	2014	2015	2016	2017	2018	2019	2020	2021	2022
이자 및 배당소득	1,795	2,921	3,999	5,201	5,686	4,961	3,763	2,843	2,825
이자비용	-384	-733	-1,456	-2,323	-3,240	-3,576	-2,873	-2,645	-2,931
기타수익(비용)	-431	-903	-1,195	-133	-441	422	-87	60	-228
계	980	1,285	1,348	2,745	2,005	1,807	803	258	-334

☞ 영업외손익은 크지 않습니다. 살펴보면 이자 및 배당소득이 오히려 이자비용보다 큰 모습입니다.

- 재무상태표에 나오지만, 애플은 부채비율이 매우 높은 편입니다. 그러나 실질적으로 이자를 지출하는 비용이 오히려 이자 배당소득보다 낮기 때문에 본인들의 높은 재무적 안정성을 바탕으로 효율적인 차입 활동(이자율을 싸게, 쉽게)을 하지 않나 추측됩니다.

♣ 재무상태표(2012 ~ 2021) (연결기준)

구분	2013	2014	2015	2016	2017	2018	2019	2020	2021	2022
[유동자산]	73,286	68,531	89,378	106,869	128,645	131,339	162,819	143,713	134,836	135,405
현금+금융자산	40,546	25,077	41,601	67,155	74,181	66,301	100,557	90,943	62,639	48,304
매출채권및미수금등	20,641	27,219	30,343	29,299	35,673	48,995	45,804	37,445	51,506	60,932
재고자산	1,764	2,111	2,349	2,132	4,855	3,956	4,106	4,061	6,580	4,946
기타유동자산	10,335	14,124	15,085	8,283	13,936	12,087	12,352	11,264	14,111	21,223
[비유동자산]	133,714	163,308	201,101	214,817	246,674	234,386	175,697	180,175	216,166	217,350
유형자산	16,597	20,624	22,471	27,010	33,783	41,304	37,378	36,766	39,440	42,117
무형자산	5,756	8,758	8,620	8,015	0	0	0	0	0	0
장기투자자산(채권.주식)	106,215	130,162	164,065	170,430	194,714	170,799	105,341	100,887	127,877	120,805
기타비유동자산	5,146	3,764	5,556	8,757	10,162	22,283	32,978	42,522	48,849	54,428
[[자산총계]]	207,000	231,839	290,479	321,686	375,319	365,725	338,516	323,888	351,002	352,755

구분	2013	2014	2015	2016	2017	2018	2019	2020	2021	2022
[유동부채]	43,658	63,448	80,610	79,006	100,814	116,866	105,718	105,392	125,481	153,982
매입채무및지급금등	22,367	30,196	35,490	37,294	49,049	55,888	46,236	42,296	54,763	64,115
유동차입부채	0	6,308	10,999	11,605	18,473	20,748	16,240	13,769	15,613	21,110
이연수익	7,435	8,491	8,940	8,080	7,548	7,543	5,522	6,643	7,612	7,912
기타유동부채	12,656	17,244	25,181	22,027	25,744	32,687	37,720	42,684	47,493	60,845
[비유동부채]	39,793	56,844	90,514	114,431	140,458	141,712	142,310	153,157	162,431	148,101
장기차입금	16,960	28,987	53,463	75,427	97,207	93,735	91,807	98,667	109,106	98,959
기타비유동부채	3,719	4,567	9,365	10,055	8,911	44,754	50,503	54,490	53,325	49,142
[[부채총계]]	83,451	120,292	171,124	193,437	241,272	258,578	248,028	258,549	287,912	302,083
[[자본총계]]	123,549	111,547	119,355	128,249	134,047	107,147	90,488	65,339	63,090	50,672
부채비율	67.5%	107.8%	143.4%	150.8%	180.0%	241.3%	274.1%	395.7%	456.4%	596.2%
유동비율	168%	108%	111%	135%	128%	112%	154%	136%	107%	88%

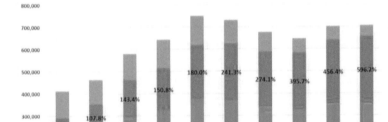

자산 부채 자본

☞ 10년 평균 부채비율은 261%로 상당히 높은 편입니다. 한편 유

동비율은 125%로 낮은 편입니다.

⊙ 자산 분석

구분	2013	2014	2015	2016	2017	2018	2019	2020	2021	2022
[유동자산]	73,286	68,531	89,378	106,869	128,645	131,339	162,819	143,713	134,836	135,405
현금+금융자산	40,546	25,077	41,601	67,155	74,181	66,301	100,557	90,913	62,639	48,301
매출채권및미수금등	20,641	27,219	30,343	29,299	35,673	48,995	45,804	37,445	51,506	60,932
재고자산	1,764	2,111	2,349	2,132	4,855	3,956	4,106	4,061	6,580	4,946
기타유동자산	10,335	14,124	15,085	8,283	13,936	12,087	12,352	11,264	14,111	21,223
[비유동자산]	133,714	163,308	201,101	214,817	246,674	234,386	175,697	180,175	216,166	217,350
유형자산	16,597	20,624	22,471	27,010	33,783	41,304	37,378	36,766	39,440	42,117
무형자산	5,756	8,758	9,009	8,620	8,015	0	0	0	0	0
장기투자자산 (채권,주식)	106,215	130,162	164,065	170,430	194,714	170,799	105,341	100,887	127,877	120,805
기타비유동자산	5,146	3,764	5,556	8,757	10,162	22,283	32,978	42,522	48,849	54,428
[[자산총계]]	207,000	231,839	290,479	321,686	375,319	365,725	338,516	323,888	351,002	352,755

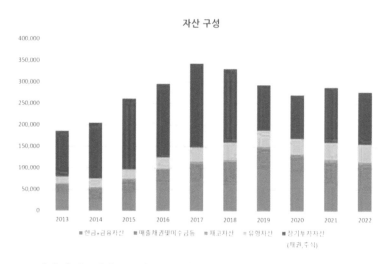

자산 구성

☞ 전반적인 자산 구성을 보면, 현금및 금융자산, 매출채권이 큰 비중을 차지하고 있고, 그 외 유형자산과 재고자산이 있습니다. 자산의 구성으로 보면 사실상 현금과 투자자산의 비중이 높아 괜찮

은 모습입니다.

⊙ 유형자산 분석

구분	2015	2016	2017	2018	2019	2020	2021	2022
토지 및 건물	6,956	10,185	13,587	16,216	17,085	17,952	20,041	22,126
기계장비, 소프트웨어	37,038	44,543	54,210	65,982	69,797	75,291	78,659	81,060
Leasehold improvements	5,263	6,517	7,279	8,205	9,075	10,283	11,023	11,271
감가상각 누계	-26,786	-34,235	-41,293	-49,099	-58,579	-66,760	-70,283	-72,340
총계	22,471	27,010	33,783	41,304	37,378	36,766	39,440	42,117

☞ 애플의 유형자산(PP&E)에는 토지와 건물, 기계와 장비, 임대료 개선 등 다양한 범주가 포함됩니다. 이 중 가장 큰 비중은 기계, 장비 및 내부 사용 소프트웨어입니다.

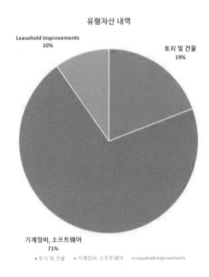

유형자산 내역

- 애플이 직접 제조하는 비중은 매우 낮지만, 일부 제품을 제조하

거나 iPhone, MacBook 및 iPad와 같은 Apple 제품의 연구개발을 위해 제조라인, 3D프린터, 테스트장비 등이 있기 때문에 유형자산의 비중이 그렇게 낮지는 않습니다.

- 유형자산에서 두 번째로 큰 비중은 토지와 건물입니다. 여기에는 애플의 사무실 건물, 소매점, 데이터 센터 및 기타 시설이 포함됩니다. Apple은 계속 성장함에 따라 직원과 고객을 수용할 수 있는 사무실 및 소매 공간과 클라우드 서비스 및 기타 이니셔티브를 지원할 수 있는 추가 데이터 센터가 필요하기에 유형자산은 지속적으로 증가하고 있습니다.

◉ 재고자산과 매입채무

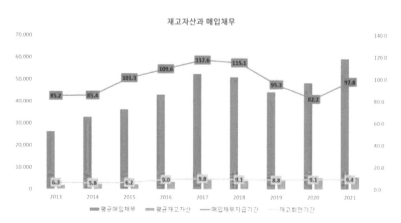

구분	2013	2014	2015	2016	2017	2018	2019	2020	2021
재고자산	2,111	2,349	2,132	4,855	3,956	4,106	4,061	6,580	4,946
재고자산/총자산	0.9%	0.8%	0.7%	1.3%	1.1%	1.2%	1.3%	1.9%	1.4%
평균재고자산	1,938	2,230	2,241	3,494	4,406	4,031	4,084	5,321	5,763
재고자산회전율	57.9	62.8	58.6	40.4	37.2	40.1	41.5	40.0	38.8
재고회전기간	6.3	5.8	6.2	9.0	9.8	9.1	8.8	9.1	9.4
평균매입채무	26,282	32,843	36,392	43,172	52,469	51,062	44,266	48,530	59,439
연매입액	112,605	140,327	131,159	143,771	162,857	161,932	169,514	215,500	221,912
1일매입액	309	384	359	394	446	444	464	590	608
매입채무지급기간	85.2	85.4	101.3	109.6	117.6	115.1	95.3	82.2	97.8

☞ 애플의 재고자산은 놀라울 정도로 비중이 낮습니다. 이는 부분적으로 제품에 대한 강한 수요에 기인할 수 있습니다. 수요가 있기에 재고의 회전에 잣니이 있고 특히 애플의 재고 관리 전략은 재고 수준을 최대한 낮게 유지하면서 고객 수요를 충족할 수 있는 충분한 부품 공급을 확보하기 위한 것이기에 매우 낮은 수준의 재고를 확인할 수 있습니다.

- 10년 평균 재고의 회전기간은 평균 8.2일로 매우 낮은 수준의 수치가 나오고 있습니다.

- 애플의 재고에 대한 이러한 접근 방식의 한 가지 이유는 애플 제품이 일반적으로 유통기한이 짧기 때문이며, 새로운 모델과 업데이트가 자주 출시되기 때문입니다. 재고 수준을 낮게 유지함으로써, 애플은 시간이 지남에 따라 판매가 더 어려워질 수 있는 구식 제품의 과도한 재고에 갇힐 위험을 피할 수 있습니다.

- 한편 재고가 워낙 작기에 매입채무는 상대적으로 매우 높은 규모를 보이고 있습니다. 매입채무의 지급기간은 평균 98일입니다.

즉 외상으로 아이폰이나 맥 등의 제조를 위한 원자재, 중간재 등을 외상으로 매입하고 현금으로 지출하는 데 약 98일의 기간이 걸린다는 뜻입니다.

★ 애플은 매입채무의 규모가 상당한 것으로 보입니다. 이는 애플의 생산 구조와 연관지어 볼 수 있습니다.
- 모든 제조 공정을 외주화시켰기 때문에 애플은 생산시설을 갖추고 있지 않습니다. 즉 모든 공정을 외주화 했다는 뜻은 모든 아이폰의 부품 생산을 외주화하여 매입한다는 것이고, 이를 통해 매입채무가 상당히 크다는 것을 알 수 있습니다.
- 결국 직접 생산 시설이 없어 생산시설 유지 관리, capa투자 등의 비용은 없으나 그만큼 외주를 주었고 이에 대한 매입채무가 발생하는 모습입니다.

⊙ 매출채권 분석

구분	2013	2014	2015	2016	2017	2018	2019	2020	2021
매출채권	27,219	30,343	29,299	35,673	48,995	45,804	37,445	51,506	60,932
매출채권/매출액	14.5%	24.9%	18.0%	16.9%	15.1%	14.3%	17.0%	16.8%	17.1%
평균매출채권	23,930	28,781	29,821	32,486	42,334	47,400	41,625	44,476	56,219
매출채권회전율	7.6	8.1	7.2	7.1	6.3	5.5	6.6	8.2	7.0
매출채권회전기간	47.8	44.9	50.5	51.7	58.2	66.5	55.3	44.4	52.0

☞ 지난 10년간 매출채권회전기간은 평균 52일로 매우 빠른 편입니다. 즉 외상으로 매출한 대금을 현금화하는데 52일이 걸린다는 뜻입니다.

- 한편애플은 재무제표에서 특정 제조업체로부터 비매매 채권(Vendor non-trade receivables) 을 보유하고 있다고 보고하고 있습니다.

→ 애플은 아시다시피 생산시설을 갖추고 있지 않으며, 세계 각지에 있는 서브 어셈블리 제조 업체로부터 부품을 제공받고 있습니다. 이 과정에서 비매매채권은 애플이 서브 어셈블리를 제조하거나 회사의 최종 제품을 조립하는 공급업체들에게 주문하고 최종 제품을 받기 전에 선불금 형식으로 지급한 것을 의미합니다. 즉 이 금액이 크면 그만큼 부품 생산을 위해 선불금을 걸어놓은 것이 큰 것을 의미하며, 줄어들었을 경우 향후 최종재 생산 규모가 더 적어질 것을 예상할 수 있습니다.

→ 2022년 9월 24일 현재 Apple에 판매된 구성 요소에 대해 상당한 금액의 빚을 지고 있는 두 공급업체(즉, 제조업체)가 있음을 나타냅니다. 이들 공급업체는 각각 애플에 모든 공급업체가 진 총

매출채권의 10% 이상을 차지하고 있습니다. 첫 번째 공급업체는 전체 금액의 54%를, 두 번째 공급업체는 전체 금액의 13%를 빚졌다. (공시하진 않았지만 54%에 해당하는 공급업체가 TSMC가 아닐까 생각되네요)

⊙ 부채 분석

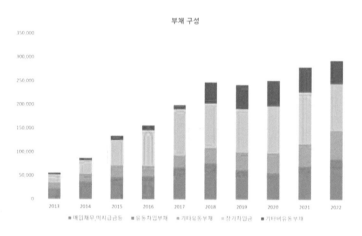

부채 구성

구분	2013	2014	2015	2016	2017	2018	2019	2020	2021	2022
[유동부채]	43,658	63,448	80,610	79,006	100,814	116,866	105,718	105,392	125,481	153,982
매입채무,미지급금등	22,367	30,196	35,490	37,294	49,049	55,888	46,236	42,296	54,763	64,115
유동차입부채	0	6,308	10,999	11,605	18,473	20,748	16,240	13,769	15,613	21,110
이연수익	7,435	8,491	8,940	8,080	7,548	7,543	5,522	6,643	7,612	7,912
기타유동부채	12,656	17,244	25,181	22,027	25,744	32,687	37,720	42,684	47,493	60,845
[비유동부채]	39,793	56,844	90,514	114,431	140,458	141,712	142,310	153,157	162,431	148,101
장기차입금	16,960	28,987	53,463	75,427	97,207	93,719	91,807	98,667	109,106	98,959
기타비유동부채	3,719	4,567	9,365	10,055	8,911	44,754	50,503	54,490	53,325	49,142
[[부채총계]]	83,451	120,292	171,124	193,437	241,272	258,578	248,028	258,549	287,912	302,083
[[자본총계]]	123,549	111,547	119,355	128,249	134,047	107,147	90,488	65,339	63,090	50,672
부채비율	67.5%	107.8%	143.4%	150.8%	180.0%	241.3%	274.1%	395.7%	456.4%	596.2%
유동비율	168%	108%	111%	135%	128%	112%	154%	136%	107%	88%

☞ 부채는 대부분 차입금이며, 그 외 매입채무와 기타유동, 비유동

부채 등이 있습니다.

⊙ 장단기 차입금

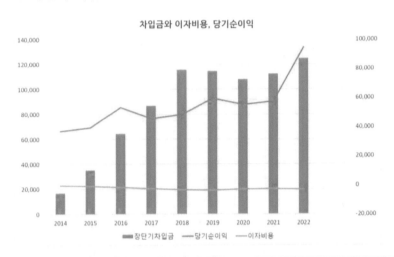

차입금과 이자비용, 당기순이익

구분	2014	2015	2016	2017	2018	2019	2020	2021	2022
장단기차입금	16,960	35,295	64,462	87,032	115,680	114,483	108,047	112,436	124,719
당기순이익	37,037	39,510	53,394	45,687	48,351	59,531	55,256	57,411	94,680
이자비용	-384	-733	-1,456	-2,323	-3,240	-3,576	-2,873	-2,645	-2,931
이자비용/당기순이익	-1.0%	-1.9%	-2.7%	-5.1%	-6.7%	-6.0%	-5.2%	-4.6%	-3.1%

☞ 기타손익에서 살펴봤듯이 이자비용부담은 크지 않습니다. 이자수익+배당수익의 규모가 크지 않습니다.

- 애플의 경우 매우 강력한 안정성을 바탕으로 채권을 발행하여 자금을 조달하는데, 그만큼 이자율이 낮기 때문에 이렇게 조달한 금액을 통해 자사주 매입이나 배당 등 주주환원활동, 그리고 기업 운영에 필요한 활동들에 주저없이 차입금을 활용하는 모습입니다.

☞ 그 외 기타유동,비유동 부채는 일부 미지급 법인세나 선수금 등을 표기한 것으로 보이는데 자세한 보고는 없습니다.

♣ 주식, 자본 주요 변동내역(2013 ~ 2022) (연결기준)

구분	2013	2014	2015	2016	2017	2018	2019	2020	2021
유통주식수	6,204,494	5,866,161	5,578,753	5,336,166	5,126,201	4,754,986	17,772,945	16,426,786	15,043,425

☞ 유통주식수는 상당한 자사주 매입활동으로 인해 주식분할을 한 해를 제외하고는 지속적으로 감소하고 있습니다.

♣ 현금흐름표(2013 ~ 2022) (연결기준)

	사업초기	과도기	안정기
영업활동	(+) 또는 간혹 (-) 당기순이익을 내느냐 못내느냐에 따라 좌우됨	(+) 사업초기를 버티고 이익을 보는 단계로 당기순이익이 (+)로 전환되기 시작하여 이에 따른 영업현금흐름도 유입(+)	(+) 당기순이익, 감가상각비 등으로 영업활동현금흐름은 꾸준히 유입(+)
투자활동	(-) 사업에 필요한 기계장비 등 유형자산을 취득하므로 투자활동현금은 꾸준히 유출(-)	(-) 아직 시장이 안정화되지 않았기 때문에 유형자산을 꾸준히 매입하며 투자활동 현금흐름은 유출(-)	(-) 남는 현금으로 투자(주식, 채권)하거나, 노후화된 유형자산 대체를 위해 투자활동현금은 유출
재무활동	(+) 사업에 필요한 자금을 차입 또는 사채를 발행함으로써 재무활동현금은 꾸준히 유입(+)	(+)또는(-) 이자에 대한 부담 그리고 영업현금에서 여유가 생기면 차입금 상환으로 재무활동현금은 유출(-)	(-) 남는 현금으로 꾸준히 배당, 자사주를 취득하거나 차입금, 사채 등을 상환하여 재무활동현금은 유출

구분	2013	2014	2015	2016	2017	2018	2019	2020	2021	2022
영업활동현금흐름	53,666	59,713	81,266	65,824	63,598	77,434	69,391	80,674	104,038	122,151
투자활동현금흐름	-33,774	-22,579	-56,274	-45,977	-46,446	16,066	45,896	-4,289	-14,545	-22,354
재무활동현금흐름	-16,379	-37,549	-17,716	-20,483	-17,347	-87,876	-90,976	-86,820	-93,353	-110,749

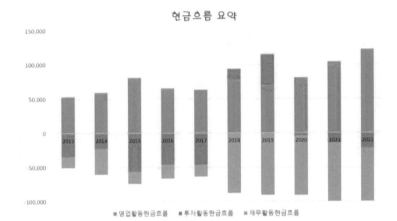

현금흐름 요약

☞ 그렇게 높은 부채비율에도 현금흐름표는 반대로 재무활동현금
흐름에서 10년간 (-)를 보이고 있습니다. 즉 차입금은 많지만 그만
큼 상환을 하면서 순 재무활동현금은 (-)입니다.

- 당연히 10년간 영업활동현금흐름도 (+)였고 강력한 모습을 보
입니다.

◉ 영업활동현금흐름

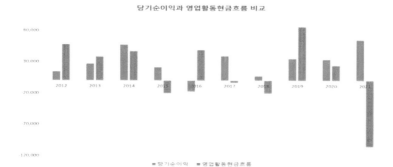

당기순이익과 영업활동현금흐름 비교

구분	2012	2013	2014	2015	2016	2017	2018	2019	2020	2021
당기순이익	14,217	26,861	57,143	21,383	-17,244	38,952	7,056	34,682	33,599	64,745
감가상각비상각	11,464	12,991	12,557	13,342	14,991	14,405	15,378	21,483	29,348	38,157
유형자산손상차손				311	992	140	16,171	73	26,630	4,214
매출채권의감소(증가)	14,312	-4,799	-28,191	-10,217	3,490	-33,667	-52,478	-20,921	-57,285	-158,420
재고자산의감소(증가)	20,260	-278	-7,596	-12,211	35,125	-16,445	-71,811	33,631	-96,606	-106,886
매입채무의증가(감소)	-15,547	-7,887	3,740	3,245	-4,986	4,742	67,296	30,277	64,428	49,460
이자비용의 지급	-8,283	-3,541	-2,380	-802	-1,759	-671	-2,228	-8,865	-8,090	-8,923
이자수익의수입	2,256	1,292	1,666	1,329	316	535	725	2,066	2,101	3,141
배당금수익수입										422
법인세납부	-2,531	-211	-4,011	-10,900	17,884	-1,020	-4,241	-2,355	-17,874	-40,109
영업활동현금흐름	57,724	37,907	46,849	-19,850	48,828	-3,078	-20,529	85,675	23,988	-105,391

☞ 영업활동현금흐름은 지난 10년간 당기순이익보다 높은 규모로 유지되었습니다.

- 유형자산의 감가상각비는 현금의 지출이 없는 비용으로 현금흐름 계산시에는 (+)됩니다.

- 그 외 매출채권은 꾸준히 증가하면서 현금흐름에서는 (-)를, 매입채무에서는 꾸준히 증가하면서 현금흐름에 (+)되고 있습니다. 매출채권과 매입채무가 꾸준히 증가하는 모습을 통해 기업의 성장을 엿볼 수 있습니다.

- 재고는 비중이 크지 않기에 현금흐름에 주는 영향도 역시 크지

않은 모습입니다.

⊙ 투자활동현금흐름

구분	2012	2013	2014	2015	2016	2017	2018	2019	2020	2021
투자활동현금흐름	-19,510	-10,890	-68,988	63,754	-32,986	-13,944	-61,657	-66,354	-110,312	-300,559
토지등유형자산 매입	-21,144	-12,283	-11,340	-18,005	-16,333	-38,011	-29,417	-88,456	-110,677	-94,607
합병/영업양수도현금 유출				-11,159		-1,923	-24,811			
장단기투자자산 처분(매입)	772	1,327	-58,176	91,536	-22,642	24,450	-13,909	6,743	-1,079	-209,314
자본적지출비율	-169.9%	당기순익누적	281,394	CAPEX누적	-478,165					

☞ 투자활동현금흐름은 capa투자보다는 장단기 투자자산의 매입, 처분에 따른 현금 변동이 큰 모습입니다.

- 10년 평균 자본적 지출비율은 19%로 매우 낮습니다. 이 수준으로 이렇게 강력한 당기순이익을 매년 보여주고 있습니다. 그만큼 적은 capa 지출을 통해 엄청난 이익을 뽑아내는 모습입니다.

- 한편 높은 이익률, 낮은 비용율과 자금조달비용 등은 현금을 쌓이게 만들고 이렇게 쌓인 현금으로 장단기 투자자산의 매입에도 많은 현금 유출이 있습니다.

⊙ 재무활동현금흐름

구분	2012	2013	2014	2015	2016	2017	2018	2019	2020	2021
재무활동현금흐름	-40,225	-33,018	45,037	-20,383	-12,506	9,465	79,275	23,346	109,418	567,844
배당금지급	-2,857	-4,000	-5,000	-8,246	-4,899	-3,183	-5,526	-6,190	-7,125	-17,286
유상증자			129,965		12	-84		12,152		462,596
자사주처분									44,837	
자사주취득			-26,659	-1,620	-8,244	-2,373	-8,500			
유상감자										
차입금지급(상환)	-37,368	-29,018	-53,269	-10,506	625	15,105	93,336	17,559	76,520	122,694

☞ 재무활동현금흐름은 주로 배당지급과 자사주 취득 등 주주환원 활동을 위해 사용되고 있습니다. 차입금 상환 등에 대한 지출도 있으나 상대적으로 주주환원활동에 사용하는 현금이 많기 때문에 적

어보이는 듯 보입니다.

구분	2012	2013	2014	2015	2016	2017	2018	2019	2020	2021
주주환원율	-103.4%									
당기순이익	14,217	26,861	57,143	21,383	-17,244	38,952	7,056	34,682	33,599	64,745
배당금지급	-2,857	-4,000	-5,000	-8,246	-4,899	-3,183	-5,526	-6,190	-7,125	-17,286
자기주식의취득	0	0	-26,659	-1,620	-8,244	-2,373	-8,500	0	0	0
요상준계					291,300					
자사주처분					111,503					

☞ 지난 10년 누계 주주환원율은 115%. 당기순이익보다 더 많은 금액을 배당이나 자사주 취득에 사용한 모습입니다.

실전 재무제표 분석 방법

발 행 | 2024년 1월 16일
저 자 | 현명한직장인
블로그 | https://blog.naver.com/jiniand1004
펴낸이 | 한건희
펴낸곳 | 주식회사 부크크
출판사등록 | 2014.07.15.(제2014-16호)
주 소 | 서울특별시 금천구 가산디지털1로 119 SK트윈타워 A동 305호
전 화 | 1670-8316
이메일 | info@bookk.co.kr

ISBN | 979-11-410-6702-1

www.bookk.co.kr